不完美，才美

才美

少有人知道的幸福之路

海蓝博士 著

北京联合出版公司
Beijing United Publishing Co.,Ltd.

海蓝博士简介

复旦大学医学博士、美国德州贝勒医学院神经科学博士后
美国范德堡大学皮博迪教育和人类发展学院心理学硕士
中国抗挫力训练总设计师
心理创伤治疗与压力管理专家
"静观自我关怀"全球首位中国师资培训师
中国家庭教育学会常务理事和高级顾问

　　20 余年医学领域科研和工作经验，15 年身心健康领域工作经验，具有深厚的科学基础和学术背景，同时兼具丰富的临床咨询和团体培训经验，是一位理论与实务兼具的身心健康专家。

　　在美期间，作为美国最大的心理健康中心 Centerstone 的移民与难民部主任，为来自世界 32 个国家的移民和难民提供危机干预和创伤治疗，其负责的项目获得 2005 年度田纳西州心理健康杰出项目奖。

2008 年汶川特大地震后，驻扎灾区服务三年，带领团队为 40 多所学校的几万师生进行危机干预、创伤治疗、压力管理、青少年抗挫折能力等培训和服务。由其担任总督导的中国青少年发展基金会"5·12 心灵守望计划"被评为"中华慈善奖最具影响力慈善项目"，该项目获得胡锦涛同志颁奖。

2011 年至今，在全球神经科学、心理学和现代身心医学的最新理论和实践的基础上，开创性地将 Mindfulness（静观）、MSC（静观自我关怀）、PE（延长暴露疗法）、Anxiety and OCD（焦虑与强迫症暴露疗法）、Resilience（抗挫折能力）等世界最先进的科学方法与中国社会生活的实际情况相结合，逐步建立并不断完善出一套幸福力同伴教育体系，提高人的内在动力、情绪管理技能和幸福力。

2012 年应阳光媒体集团董事局主席、著名媒体人杨澜女士的邀请，担任"天下女人幸福力课程"首席专家导师，先后影响 40 多万人的成长和改变。

2015 年 5 月，创立"海蓝幸福家"，致力于帮助中国四亿家庭提升幸福感，通过梳理和提升与己关系、亲密关系和亲子关系，将宁静和谐带入每一个家庭。

目录
Contents

Chapter 3 | **第三章** |

少有人知道的亲密关系真相

Chapter 6 | **第六章** |

感恩所有的不完美

Praise for the book | **名家评论** |·232

Afterword | **后记** |

周国平：人要做自己由心而发的事

海蓝博士发微信，嘱我为她的处女作写一些文字。看见"处女作"三个字，我心中惊讶，同时有一种感动。据我所知，在畅销图书中，心理咨询类占了很大的比例。海蓝博士在国内心理咨询界久负盛名，何以如此沉得住气，直到今天才写第一本书？从中我能感觉到一种淡定，一种认真，一种对写作的敬畏。在医学和身心健康领域从事研究及临床实践达35年之久，积半生之经验和心得写一本书，真正称得上是厚积薄发了。

在海蓝博士的经历中，有一个情节也令我既惊讶又感动。她的本行是眼科医学，先后师从国内外该学科的权威，获得了博士学位，又做了博士后，然而，年届38岁之时，她突然决定从零开始，改行学习心理学。这不禁使我想起史怀泽博士，也是在拥有了哲学和神学博士学位之后突然改行，用 8 年时间获得医学博士学位，此时年龄也是 38 岁，从此开始了为信仰在非洲行医的毕生事业。一个是从神学转入医学，一个是从医学转入心理学，共同点是他们都听从了内心的声音，用海蓝博士的话说，就是人要做自己由心而发的事。

当然，人到中年，做出了改变一生志业方向的决定，绝不会是出于一时的心血来潮，所谓"突然"，只是貌似如此罢了。真正的原因是海蓝博士太喜欢心理学了，即使在从医期间，她也把空闲时间都用在了研读相关书籍上。我相信，在这个世界上，每个人都有一个最适合自己禀赋和性情的位置，问题只在于你能否找到它。海蓝博士找到了她最合宜的位置，她自己说，进入心理学领域之后，她有如鱼得水之感。如鱼得水之感——这是一个准确的描述，倘若在某个位置上，你感到轻松、自由、快乐、安心，这个位置就一定是属于你的。你的志业在斯，你的幸福也在斯，而事实上，人生幸福的一个主要方面就是做自己真正喜欢做的事。

这本书的主题是幸福，而由海蓝博士来谈论这个话题是非常合适的。这不仅是因为，作为心理咨询师，帮助受众走出心理误区，解开心理症结，开发心理能量，其终极目标正是幸福，而且是因为，她自己是一个在正确的方向上寻求和体验幸福的人。这后一个方面很重要，因为心理咨询不是一门纯粹的技术，它本质上是一种精神交流，而人格的力量能够为交流营造最好的氛围，达成最佳的效果。

围绕幸福主题，这本书涉及诸多人生问题，包括事业选择和自我实现、情感生活和人际关系、苦难和逆境等，我读了很有共鸣。其实，心理学和哲学是不可分的，因为心理健康的根本在于人生觉悟，而许多心理疾患的症结就在于想不开、放不下。幸福是一种能力，这种能力要靠人生觉悟来开发。然而，如果心理咨询只是在给受众上哲学课，其效果便堪忧。心理咨询师的本事在于把宏大的哲学叙事细化为精彩的心理学剧本，在每一具体情境中察知心结的成因和解开的方法，这本书中举的许多案例便是例证。所以，世上不能只有哲学家，还必须有海蓝博士。

周国平

（当代著名哲学家、学者、作家）

于丹：我给你做好吃的

我一直相信，每个人的幸福都有自己的颜色和味道。认识海蓝博士之后，我遇见了一种海蓝色的幸福。

海蓝博士的性格真的是一半海水一半火焰，她笑起来从不节制，哗地一下子就泼得满台满场。她的情感也不节制，爱憎分明，对谁好起来就用最朴素的方式表达："我给你做好吃的。"

这样一个女子当然有资格讨论幸福，不仅仅因为她的专业知识足够权威，更重要的是她自己的幸福感让人相信。真实感是任何人生经验的前提。

这种真实感里包含了种种驳杂的不如意，用海蓝博士的话说"放下对抗，你就会变得更强大"。她从不刻意教人如何逃避痛苦和烦恼，在她的课堂上，许多怀着心事来寻找幸福的人或坐或躺，用自己最舒服的方式安静地和自己待在一起，十几分钟以后，其中不少成员竟然泪流满面。

我们生来都是原创，长大后就不小心活成了盗版。我们做角色的时候太多，和自己在一起的时光和诚恳都太少。连自我都不接受的人，活在这世界的逻辑起点怎么可能是真实的？

那种宁静的海蓝色像一种抚慰，告诉每个愿意接近它的人：放下愤怒，放下躲避，放下对抗，接受自己，就是世界接受你的开始。

我愿意把这本书推荐给更多人，因为这里面教人的幸福，不是买一幢海滨别墅，或者成绩全 A，不是晒出来的朋友圈，也不是收到的惊喜礼包。幸福这件事，可能就是一个正在剁饺子馅儿的女人回眸一笑，说"我给你做好吃的"！这种幸福，是海蓝色的。

于丹

（著名文化学者、北京师范大学教授）

徐小平：我们需要更多的海蓝博士

我有幸认识海蓝女士，大概是在三年前。她和她的合作者杨澜女士，想做一家专门为女性提供心理培训的机构，解决中国社会生态链中一个非常薄弱的环节。我对这个构想非常认同，深感广大女性朋友极其需要这类帮助。当时我们的交往虽然不多，但海蓝博士在该领域的渊博知识和至诚的信念，给我留下深刻印象。

让我惊讶的是，在国内心理咨询界享有盛誉的海蓝博士原先并非是读心理学的。她去美国留学之前是复旦大学的眼科博士。但她却在接近"不惑"的38岁之际放弃了眼科专业，将一切归零，攻读心理学。我不知道海蓝博士做出这个决定背后的故事，但她的勇气与追求，令我敬佩不已。

毫无疑问，海蓝的"改行"是对生命未知疆域的一次伟大探险。海蓝说："每当我可以清晰地看到未来时，我都选择了改变。"海蓝的选择与改变创造了非凡的价值——学成之后，她为来自世界32个国家的移民和难民提供危机干预和创伤治疗，三年内将服务受众扩大50多倍。在为他人提供心理帮助时，我想海蓝博士一定也得到了巨大的心灵满足，也就是人生的幸福。

海蓝博士最令我敬佩的事迹，是2008年汶川特大地震后，她驻扎灾区服务三年，为 40 多所学校的几万名师生进行心理方面的服务与干预。过去我在北美生活，常常看到一旦某地发生天灾人祸，伴随救援人员的，往往会有心理救援专家。我常常想：中国的社会发展到什么时候才能够达到这个水平呢？海蓝博士的服务实践，填补了国内这方面的空白。

海蓝博士的新书列举了不少"成功人士"的人生故事，来说明一个"有钱未必幸福"的真理。确实，作为一名所谓的"成功人士"，而且天性还相当乐观开朗，我有时候也会掉入郁闷和想不开的低谷。这个时候，我最需要的不是马云、雷军（也许他们出现了会给我带来更大的痛苦，你懂的），而是海蓝博士。在风起云涌的经济大潮下，人们忙着追名逐利，但有钱有名，如何让幸福同步增长呢？中国的 GDP 总量已经位列全球第二，但联合国《2015 年全球幸福指数报告》显示，中国在幸福指数排名中仅位列第 84 位！为了中国的"幸福指数"排名能和我们的 GDP 排名更加接近，我们需要更多的海蓝博士。

正因如此，海蓝新书的问世才显得更加弥足珍贵。她用诚恳质朴的语言、生动鲜活的案例，告诉你什么是"幸福"；帮助你抚平心灵创伤，脱离心灵的苦海；分析了国人心理健康的误区；指导家庭如何培养幸福感等。海蓝把她毕生的所学所用都倾注到了这本书里。我向大家推荐海蓝博士的心血之作，愿她的文字能给你带来幸福的心灵财富。

徐小平

（真格基金创始人、新东方联合创始人）

Christopher K. Germer 博士：
如何与你不想要的和平共处

　　我非常荣幸为海蓝博士的第一本书作序。我认识她已经五年多了，并有幸两次在中国同台授课，获益良多。海蓝博士的核心理念是她原创的，非常强大，充满了对人性的深刻理解，并巧妙地与现代社会的需求和挑战相结合。她知行合一，言行一致，从她的学生们充满感染力的快乐之中便可窥见一斑。我很高兴，她终于把她的愿景和想法凝聚在书里，让更多的人能够分享和获益。

　　海蓝博士的出发点是：生活不易，且人人如此。幸福不是如何得到你想要的，而是如何与你不想要的和平共处。这是一个大胆的论述。有的人认为，只要我有更多的财富、美貌、聪明或健康，就可以免受磨难。

这不真实，磨难是生活的一部分。避而不见不会让困难消失，与之对抗也只会让情况更糟。幸运的是，在基本需求得到满足以后，幸福取决于我们与磨难之间的关系，而不是磨难本身。因此，只要我们还有呼吸，我们就有机会改变我们的生活，从内而外地改变。

我们可以怎么做？需要知道些什么？海蓝博士的第一条建议是静观——活在当下。这说起来容易做起来难。扪心自问，我们有多少时间真的是活在当下？当我们经历某种体验的时候，知道自己正在体验？我们的大脑是不是经常不在过去游荡，就是在思虑未来，或不停地寻找问题？

实际上，我们的大脑具有一个与生俱来的结构，就是发现问题，关注负面的东西，心理学把它称作"负面偏好"（negativity bias），这是人类在漫长的演化过程中，出于生存的需要而逐渐形成的。它有助于生存，但不利于幸福。幸运的是，通过大脑训练，负面偏好可以逆转，至少可以被弱化。有很多科学研究的结果已经表明，大脑训练，尤其是每日静观冥想，有助于我们更充分地活在当下，提升幸福感，使生活更有效率。

我们的大脑也具有非常精细的接收人际关系信息的功能，因为，没有他人的支持，我们就会消失。我们收到的社交信息往往比我们需要的多。比如，你可以想象一下，如果你默默地与一个人，或与你的爱人对视一分钟，会有什么感觉？很可能会让你感到不舒服。

我们的社交大脑到底一直在找寻什么？从我们出生开始，绝大多数时候都在寻找爱。小婴儿的第一个任务是获得别人的爱，只要有了爱，所有其他的需求——食物、衣服、住所、爱抚——就都满足了。

我们对爱的需求并没有因为长大而淡漠，这也是我们的痛苦主要来自关系的原因所在。当我们探究自己的难过或不幸时，会发现我们的痛苦往往与在给予或接受爱时的困扰有关。因此，海蓝博士的愿景之一是帮助人们建立互相尊重、互相支持的关系。

为了培养使人感到充实的关系，我们需要什么样的内在技能呢？第一个技能上面已经提到了，是静观。第二个，就是自我关怀。静观和自我关怀的有力结合，不仅会使我们的关系变好，也会使我们知道如何面对自己的整个生活。

什么是自我关怀？自我关怀就是在我们经历挣扎、失败，或感到无能时，能像对待最好的朋友或爱人那样，充满善意地对待自己。这很不容易——实际上，只有 20% 的人能够做到，在我们遭遇严峻考验时，能够做到的人会更少。我们总是问"为什么是我？我到底哪里做得不好？"我们很容易批评自己，迷失在不断的反思和自责之中，把自己隐藏在无尽的羞愧之中。

目前，已经有几百项科学研究表明，自我关怀对人的健康与幸福有很大的促进作用，包括改善心理和身体健康，改善关系，更多地关心他人，提高自我意识、情绪弹性（抗挫折能力）和整体生活满意度。自我关怀也有助于减少焦虑、抑郁，以及压力和创伤带来的影响。幸运的是：每个人都可以学会自我关怀。

什么样的环境最有利于学习静观和自我关怀？我个人认为，这正是海蓝博士最杰出的地方。在多年为四川灾民进行援助的经验之上，她建立了一套同伴教育体系，可以更好地帮助社会上更多的人。

海蓝博士深刻地洞见到，每个人与生俱来都有足够的爱、智慧和力量。她创建了一个"同伴教育者社区"，让拥有相同理念、致力于传播幸福力的同伴教育者们，在这里互相给予和接受支持，并在各自的生活和工作中影响和支持更多的人。2014年，我在杭州与她共同授课时，亲眼目睹了这个过程，我为这些流动的爱而深深感动。

同伴的支持是疗愈的关键因素，我也在向海蓝博士学习，将同伴教育的理念带到我的工作当中，为我们的学员和老师建造一个彼此分享和支持的社区。

我认为，本书是一位真正的疗愈者和教育者的工作结晶。我希望有机会阅读本书的每一位读者，不仅读完这本书，而且将这本书中的智慧，真正应用到你的日常生活中。

Christopher K. Germer（克里斯托弗·肯·杰默）博士
（哈佛医学院心理学临床导师、"静观自我关怀"创始人之一）

詹文明：她和她的团队，正在书写历史

1995 年，我第一次搭飞机来到大陆。着陆之前，从机舱的窗户望向这片土地，我流下了莫名的泪水。我问自己，难道我对这片土地有着什么特殊的感情吗？答案是确定的。这 20 年来，我穿梭于海峡两岸，将德鲁克的管理理念和精髓传递给两岸的企业一把手，以期为社会做出有效积极的贡献。在此过程中，我也不断发现，心智成长和内在力量对于一个人、一个企业乃至一个社会的重要性。于是，我一直期待与一位能够帮助人们活出自己生命的样子的老师合作。

历经多年，我终于遇见了海蓝博士。去年初识，感觉她亲和、开朗、坦诚、健谈。进一步了解接触后，不禁为她非凡的人生际遇而感叹。不管是 38 岁时放弃医学界的最高成就，毅然转行投身于心理学，还是放弃美国

的优渥生活和工作，去到四川灾区救助三年，以及她在年过五十，选择与学生共同创业，以非营利组织的方式，这需要何等的勇气与智慧，又怎是一个"爱"字了得！

国内外心理学专家有很多，像海蓝博士这样，医学造诣达到顶峰再转行从事心理学的不多；从中国走出去，又从美国走回来的不多。专业造诣深厚的心理学专家也很多，像海蓝博士这样，用生命践行理念的不多，深入浅出，将高端前沿的知识变成具体可操作方法的不多。专家创业的也很多，愿意以非营利方式运营，以助人为使命的不多。海蓝博士集科学家、心理学家、创业家于一身，实属难得。她和她的团队，正在书写历史。正是如此，我欣然承诺为海蓝博士的团队进行 18 个月的义工辅导，为她的伟大事业尽一份绵薄之力。

詹文明

（彼得·德鲁克关门弟子，CEO、董事长、领导者私人教练）

Elna Yadin 博士：海蓝博士的生命写照

古老的犹太圣贤希勒尔曾经说："我不为我，谁人为我？我只为我，我为何物？此时不为，更待何时？"(《父执伦理》，1:14)。这正是我敬爱的同事和朋友——海蓝博士的生命写照。"5·12"汶川特大地震之后，她毫无保留地迅速加入到第一批救援队伍当中。她（从美国）邀请了多位具有丰富临床经验的创伤治疗专家，前往灾区进行了广泛的交流、培训和指导，我有幸也是其中之一。在接受培训的人当中，有一些是专业的心理咨询师，而大多数都是当地教师，他们接受培训后即为其他师生提供帮助，这充分展现了同伴教育和干预对于援助中国地震灾区人民的有效性和成功。

从那时起，海蓝博士就一直孜孜不倦地致力于创建一支立足于草根、采用同伴教育、致力于提高全中国人民幸福力的团队。我有幸参与并见证了这个伟大行动的最初几步，并期待看到它的继续发展和繁荣。

海蓝博士的丰富学识和人生阅历凝聚在此书当中，她向读者讲述了如何拥有幸福生活的几个重要方面：接纳痛苦是生活的一部分，学会放下过去、少忧未来、活在当下，学会全面创建和滋养人际关系。

给别人指出问题、提出改正意见和建议总是比向内看自己、觉察自己的问题、自己做出改变要容易。我记得我那智慧的母亲（也是我的终极同伴教育者）曾经说过：我们在邻居家总是表现更好，而且给什么吃什么；在自己家里，我们总是无理取闹或挑三拣四。她悄悄琢磨过，也许在"成长的烦恼"最盛时期，最好的方法是邻里之间互相换孩子来带……

Elna Yadin（艾尔娜·雅丁）博士
（原宾夕法尼亚大学焦虑治疗和研究中心 OCD 中心主任）

未知才是生命中的精彩

每当我清晰地看到未来，我都选择了改变

我们总以为幸福是得到自己想要的一切，其实幸福是终于知道：人生得意时少，失意时多；如果能在变幻无常的生活中，学会遇到苦难和不如意时，不对抗、不逃避、不抱怨，改变能够改变的，接受不能改变的，那么人生不管如何跌宕起伏，我们都能活得宁静和谐。

人生的苦乐是我们一系列选择的结果，要相信，你可以决定和把控的比你想象的多得多。只是很多时候，你以为自己没有选择。

很多人都非常希望有个算命先生告诉自己这一生会是什么样子。在我看来，如果未来的每一天都清晰可见，这一生该是多么无聊无趣！

生命的精彩恰恰在于未知，如果把生命的未知当作一个礼物，每天都会是新的世界，等待我们去探索、发现、感受和创建。

回望我的人生，每当我可以清晰地看到未来时，我都选择了改变，而每次的改变都把我带到了一个更广阔、更美丽多彩的天地，我的人生因此而变得更加丰盈。

人生，是一次可以选择的旅程，我们无法把控环境和他人，但我们始终都可以把控自己。

做由心而发的事才是成功的捷径

我为自己做的第一个选择，在别人眼里是疯了才会做的决定。那一年，我38岁，已经走过了极其艰辛的医学求学之路，站在了职业生涯的顶峰，放弃了在医学领域20多年的耕耘，选择把自己重新变成一个一文不名的学生，从零开始。

我在复旦大学医学院（当时是上海医科大学）跟随"中国眼科之父"郭秉宽先生攻读博士，是先生的关门弟子。博士毕业后，我去美国做医学博士后，师从国际视觉和眼科学研究学会副主席Robert G. Anderson（罗伯特·简·安德森），虽然在眼科学界我的导师都是国内、国际的著名专家，能成为他们的弟子是许多同行梦寐以求的机缘，但我深深感到，一路走来，总有逆水行舟之感。

我问自己，人生的意义究竟是什么？我开始寻求自己内心真正的归宿，做了人生中第一个重要的选择——1999 年，我放弃已经在医学上取得的成就和光环，把自己变成一名学生，进入美国田纳西州范德堡大学皮博迪教育和人类发展学院（Peabody College of Education and Human Development, Vanderbilt University）攻读教育心理学硕士。

做出这个决定时，很多人都认为我脑子进水了，父母和公婆更是认为我疯了，锦绣前程就这么放弃了？！和成功人生仅一步之遥，现在突然去弄什么心理学，太不靠谱，也太不负责任了，毕业后，有没有工作都不确定，折腾到什么时候才是头？我周围的人都嘲笑我：你都已经38 岁了，又是个中国人，说英文有口音，对美国文化也不熟悉，毕业能找着工作吗？谁找你做咨询呢？客户可能只有一个，就是你自己！

其实，做这个决定，我也有过挣扎，20 多年的积累消失于一旦，年近 40 岁，从零做起，背井离乡，前途未卜。我当时跟我爱人讲，当医生的话能赚很多钱，当心理咨询师能不能找着工作都不知道。我爱人说："其实你不是一个对物质生活要求很高的人，你睡在哪儿都能睡着，也吃不了多少，人生很短，既然你这么喜欢心理学，一下班就看这方面的书，干嘛不去试试呢？"

我问自己，毕业后如果找不到工作，是否能养活自己？记得当年有许多留学生都靠在餐馆打工养家糊口，我也可以去餐馆打工，照样能有饭吃，我相信：有一颗准备吃苦的心，一双勤劳的手，即便打工，也能养活自己。

有人说，不为五斗米折腰的人，家里肯定不止五斗米。其实，我当时读书先后借了近十万美金，直到2013年圣诞节前夕才还清。因为我相信：人生只涨不跌的投资就是学习和成长。

人生苦短，比如，一个人活80岁，掐头去尾，真正醒着的时间，三分之二都是在工作。既然主要的时间是在工作，那干嘛不做一件自己喜欢并擅长的事情？！很多人一年到头都在忙，并不喜欢自己的工作，就等着好不容易有假期，赶紧去哪儿旅游一趟，然后回来接着忙，我不想过这样的日子，如果工作变成每天都像假期一样该多好，人要做自己由心而发的事情。

那什么是自己喜欢的事情呢？自己喜欢的事，就是你休息时间想做，别人不给你钱，你还愿意去做、而且倒贴都愿意去做的事。我业余时间都是在看心理学和自我帮助方面的书。于是，我决定放弃在医学领域取得的成就和光环，开始学习教育心理学，我想做一件每天都喜欢并擅长的事情，生命本身的目的就是幸福和快乐，不是等有了钱、有了时间、有了房子、有了位子、有了帽子、有了车子、有人爱、有了……才能快乐幸福，每天快乐才是生命真正的意义和质量所在。

人生没有不能承受的苦难，一切都可以重新开始

学习心理学之后我有如鱼得水之感，2001年从全美排名前三的教

育学院 Peabody College of Vanderbilt University 顺利毕业，从危机干预热线的志愿者做起，后来在美国最大也是全球最大的心理健康中心 Centerstone 工作，不久就晋升为移民和难民项目主任。

在 Centerstone 工作的日子里，为从 30 多个国家来的移民和难民服务。不管是移民还是难民，都是离开了自己熟悉的环境、熟悉的人脉、熟悉的文化、亲朋好友，放弃或被迫放弃自己曾经拥有或创立的一切，来到一个语言不通、文化不同，甚至还遭受歧视的地方，从零开始。记忆最深的是一位经历了种族大屠杀，从索马里来的五十开外的男性，他告诉我，敌对种族半夜冲进他的家里，当着他的面，杀害了他的儿子、父母，强奸了他的妻子，然后对他下了毒手。当天晚上，突然雷雨交加，敌人没有来得及确定他是否真的死亡，就离开了。后来，他在朋友的帮助下逃到难民营，辗转来到美国。我无法想象一个生命，经历了如此惨绝人寰的变故，如何能够坚持到现在？而他脸上透着淡定和沉静，心态也十分平和，他身上有一种非常深邃的力量，让我震撼。我问他，经历了如此残酷的人生，你怎么能够如此平静祥和，他说："相信上帝有他的安排，我不能改变，我能做的最好的事情就是把每一天该做的事做好。"他让我第一次如此深刻地懂得了——信仰的力量。

还有一位从非洲来的壮年男性，英俊挺拔，非常干练，很低调。我后来才知道他在自己的国家是高级官员，因为内战，他被迫离开自己的国土来到美国。没有人知道他是谁，没有了以往的便利和前呼后拥，因

改变可以改变的，接受不能改变的。

为语言和文化的不同，他所擅长的也都一下子失去了价值。在美国，他的体能是他唯一的资本，他开始干各种体力活，住在非常简陋的地方，待有了一点儿积蓄，能和人用英语交流后，他就开始走街串巷卖东西，有时被狗追赶，有时走近别人房屋，被人用枪瞄准，险些丢了性命。他坚持着，努力着，终于有了自己成功的生意。

索马里的汉子，非洲来的壮年，和许许多多从不同国家来到美国的移民和难民证明了：<u>人生没有不能承受之痛，一切都可以重来，一切也都可以更好。</u>

人生后悔想做没做的事，远远大于做错了的事

工作后不久，我在被称为美国最佳居住城市之一、以烟雾山著名、有许多湖泊的纳什维尔市，建造了一所300多平方米的独幢别墅，有11个房间，其实平时最多也就用3个房间，房前屋后种满了我喜爱的花草，每个季节都有不同色彩的鲜花盛开。

我还种了专门吸引各种蝴蝶的草木，起风的时候满溢着不同花草的芳香，我在院子里放了各种鸟食，吸引不同的小鸟。清晨，绿色的草坪挂满了露珠，在晨曦中闪闪发光，晶莹剔透，活蹦乱跳的小兔子跑来跑去，淘气的松鼠上蹿下跳，各种小鸟发出欢快的叫声，小蜂鸟拍打着翅膀，就像停在了空中，非常梦幻。

在清晨，我常常坐在沙发上看书，看着窗外的这一切，这种瓜果飘香的田园生活我也很喜欢，可是内心深处总有一种空荡荡的寂寥。

物质带来了很多方便和舒适，可没有带来内心的充实和满足，这不是幸福。那时我已经 40 多岁了。我常常问自己，人生到底往何处去？我的下半辈子就这样过了吗？

我能清楚地看到，如果不做改变，我的日子很可能就会这样日复一日地过下去，上班、下班、浇花、种菜、做饭、洗衣、旅游直到离开这个世界，难道我 20 多年所受的医学、心理学的教育和积累的实践经验，每天给四五个人做咨询就了结了吗？这是我生命的全部意义吗？

很多时候，坐在窗边，我会拿出一封信来，每每看到信上的一句话，心就被触动，不能平静。当年，为了在美国继续学习，我向中国大使馆申请免去回国服务的要求，大使馆回了信，信上大概写着："祖国培养你多年，我们同意你继续留在美国，但也希望，未来你能够报效祖国。"每每看到这句话，我的心底总是涌起无限的惭愧和内疚。

我们这一代人，从上小学到博士毕业的学费和住宿费都是全免，国家给了很大的支持，在我人生的壮年，学成之后并没有为国家做过什么就直接出国了，但不管美国的环境多么优美、清洁、有序，心里一直有一种无根的感觉，读大使馆的回信的时候，有被祖国召唤的感慨和感动，也很难过。

其实，不仅是我，很多像我一样的海外学子心里都有同样的感受，总觉得很愧对国家。我相信，如果我听从这种召唤，凭我在身心健康领域几十年的学习，可以为国家做一些事情。

记得在读书期间，我读到一项对老年人的调查研究——研究人员问老人们：你们一生中最遗憾和后悔的是什么？如果生命能够重来，会做什么不同的选择？绝大多数人回答：会去做想做而没敢做的事。

人生后悔想做没做的事，远远大于做错了的事。人害怕改变，因为怕失去现在的舒适，未来又不知在何方？而我相信，千千万万的移民难民，在连基本生活没有保障、语言交流都不会的情况下，还能养家糊口，我受教育的程度和语言水平远远超过了一般的移民和难民，无论怎样我都会有地方住，会有饭吃，最坏的结果就是去餐馆打工，或当保姆。人一旦设置了自己的底线，就会无所畏惧。我宁愿做错，也不想留有遗憾，于是，我放弃了美国的一切，选择回国，再次一切从头开始！

人生最多的伤害来源于人与人之间的关系

2008年"5·12"汶川特大地震后，作为心理援助志愿者，我先后两次赶赴灾区救援，发现山河破碎，家园被毁，人们哀伤、麻木、迷茫，在遭受如此大的灾难后，首先需要处理衣、食、住、行等基本生存问题，但当基本生存问题得到解决，媒体和救援部队撤离后，心理创伤会慢慢显露。短暂的救援很难解决根本的问题。

2008年9月，受中国青少年发展基金会及华夏心理网的邀请，爱人和我带着10岁的女儿与"5·12心灵守望计划"心理援助团队驻扎四川三年，为灾区几万名师生提供心理援助、压力管理、留守儿童抗挫折能力的培训、危机干预服务和放下过去的梳理。

在汶川救援的三年，我震惊地发现，地震对人的伤害很大，但相比于地震，更大更多的伤害来源于人与人之间的关系——孩子和父母的关系、夫妻关系、老师和学生的关系、领导和员工的关系，以及各种其他关系。

记得有一家三口，震后安然无恙，房子也没有倒塌，可妻子非要和爱人离婚，我问她："为什么经历这么大的灾害，全家幸运平安，不好好过日子，还要离婚？"她说地震发生时，她和爱人、不满一岁的孩子在楼上睡午觉，被震醒后，只见危机之中，她丈夫抱起个枕头就跑了，没管孩子，也没管她。她说不管她倒也算了，可她不能容忍他连孩子也不顾，太自私，这种在生死关头极端自私的人，怎么可以做丈夫？怎么可以做父亲？她的丈夫浑身是嘴也说不清，一脸的无辜和懊悔。其实，这对夫妇都不知道的是：人在危难之中的反应是下意识的动物本能的反应，也就是遇到危险时，会不自觉地躲开或逃跑。这种误解，在灾后的群体中很常见。

还有一位父亲，地震发生后，当他幸运脱离危险后，他第一时间想到的是在教学楼里的女儿，不顾一切地冲到女儿所在的教学楼，楼房已倒塌，他想进去救女儿，但在倒塌的教学楼周围，已经拥满了学生的父母，向他呼喊着去救他们的孩子。他在巨大的压力下，去了另一幢倒塌的教学楼，掏挖被埋的学生，内心极其纠结和痛苦，被埋的女儿近在咫尺，他无能为力，只能去救被埋的别人家的孩子。他把所有的力量都用在了挖出被埋的孩子，希望能够把这些孩子救出来，就可以救自己的女儿，他救了很多孩子。等他再次跑回埋着他女儿的废墟时，其他人已将他奄奄一息的女儿救出来了。他抱着满身是血的女儿，飞奔到医院，到医院后不久，女儿在他怀里停止了呼吸，医生说，要是早点来，就有救了。我对说这种话的医生有种想打人的冲动。因为这句话，把这个父亲永远地钉在了无尽内疚、自责的十字架上，不仅是他自己，他的妻子和家人，都把女儿的离去归咎于他。从此，他开始酗酒。灾后，他被评为抗震救灾英雄，他对我说："这个'英雄'是女儿的血和命换来的，每次被人称为'英雄'，我内心有强烈的负罪感。"

更有甚者，一个女孩，幸免于地震灾难后，在防震棚里躲雷雨、躲余震，她的姨父却趁其他人不在的时候强奸了她。可怜的孩子，躲了天灾，却没有躲过人祸。

记得电影《唐山大地震》里的姐姐，让她痛苦不堪、几十年耿耿于怀的不是地震本身，而是妈妈的一句"先救弟弟"。

<u>许许多多的孩子和成人，都曾说过，父母的争吵和打骂，比地震本身对他们的影响更大更多。</u>

所有的伤痛，都可以在关系梳理中放下

不管是什么原因导致的伤痛，都可以在关系中疗愈。

我开始思索和研究，怎样才能使人不被这些痛苦所困？全世界，特别是中国，受过专业心理训练的人很少，可需要帮助的人很多，怎样才能让更多的人有机会放下过去、少忧未来、感受当下？数十年积累的国内外实用的理念和方法，加上丰富的实践经验，我认识到只有"助人自助"才能最有效地帮助自己，帮助别人。没有人真正听别人的道理，人实际上听的都是自己的道理，即便听别人的道理，也是他认同的道理。

我开始整合国内外资源，创建了"放下过去、不忧未来、感受当下"的助人自助的服务系统。

因为，我见证了太多顽强的生命，不管经历过多么惨烈的事，只要学习、向内探索，都能够放下过去、少忧未来、感受当下，重获生命的风采。许许多多从伤痛中绽放的生命，让我相信每个人都有足够的内在的智慧、力量和爱，足以解决自己的困惑与痛苦。

我曾做过一项 12500 多人参与的调研：

结果发现，当人们有了困惑、麻烦或者难过时，第一时间找心理咨询师的只占2%，而第一时间找亲人、朋友、同事、同学的几乎占60%。

想想我们生活中的各种选择，不也主要受同伴影响吗？比如，烫什么发型，买什么漂亮衣服，去哪儿吃饭，到哪儿去玩，买什么东西，看什么书，找谁帮忙，包括绝大多数人伤心难过的时候第一时间都是找同伴和亲人。其实，同伴自古以来就是人们获得支持、建议和帮助的第一来源。

这让我想到美国进行的全民CPR（心肺复苏）培训。之前，突然晕倒的人都是送往医院急诊，由专业医生急救，做CPR（心肺复苏）。后来，政府和医院发现，很多人在前往医院的路上就去世了，因为绝大多数的意外，并不是发生在医院或医院周围，而是在家里、在工作单位、在小区或公共场所。所以美国政府开始了对没有医学教育背景的普通成年人进行 CPR 培训，这样，在意外发生的时候，附近的人就可以提供援助。

美国每年因心血管疾病死亡的人近百万，占总死亡因素的二分之一，其中，60%~70% 的人，因发生心脏骤停，来不及等到医院救治就死亡了。对广大民众进行 CPR 技术的培训和推广，使其中40% 的心脏骤停者，因为及时得到受过 CPR 培训的普通人的帮助而获救。每年有近 20 万的人因此重获生机。

和心脏骤停一样，绝大多数心理危机，比如自杀和严重情绪失控，也都不发生在医院、心理治疗、心理咨询室，而是发生在家里、工作单位、小区或公共场所。所以美国为大众提供了危机干预热线服务，我也曾在危机干预热线做过义工。在热线服务的人，绝大多数是接受过 5 天危机干预培训的志愿者，他们来自各行各业，并没有心理咨询方面的教育和经验，经过短期专业培训，考试合格后，在专业人员的督导下，为有心理危机的人提供服务。

我在想，为什么我们一定要等到生命垂危或出现心理危机时才想到启动同伴救助系统？为什么不能在人们感到失去内心宁静、与人和谐之时，用一套同伴互助的方法，使我们能够放下过去、少忧未来、感受当下？为什么不能在一切矛盾和搅扰发生之前，就开始学会如何化解、安

作者序
未知才是生命中的精彩

抚自己的情绪？如何真正地与人沟通？《黄帝内经》中说"上医治未病，中医治欲病，下医治已病"，我们能不能在一切还来得及的时候关注健康，创造正能量？

如果让每个普通人都能学会幸福的方法，该有多少家庭可以拥有宁静和谐的幸福生活啊！就这样，"海蓝幸福家"同伴教育体系诞生了。

我们的使命就是帮助大家面对人生的各种境遇，回归内心的宁静和谐，让大家拥有一个孩子和爱人一出门就想回来的家。我希望每个人都能开始探索对自己的生命和生活质量至关重要的问题：究竟什么样的人适合做自己的伴侣？如何使亲密关系持久保鲜？如何与人亲密沟通？如何与婆婆相处？如何让孩子学习有动力、有抗挫折能力？如何应对外遇？如何放下过去、不忧未来、感受当下？如何知道自己适合的工作究竟是什么？如何与上级搞好关系？如何陪伴生病的自己？如何与恐惧、焦虑、愤怒、悲伤、内疚、羞愧、抑郁的情绪和平相处？使它们成为通向智慧和与人连接的桥梁，而不是困扰自己的陷阱……

最悲催的人生是：从未选择，总被他人安排

人活着就是为了幸福，当跨越了半个多世纪，经历过许多次的绝望、无奈、悲伤、无人能助的恐惧，目睹过许多功成名就之士的人生轨迹后，我一直在探寻什么是人生真正的幸福。

我发现：人生真正的幸福，是在任何逆境中都能很快恢复内心的宁静和与人的和谐，并持续不懈地为实现梦想挺进。

回顾历史上和当下诸多成功者的人生就会发现：内心的宁静和与人的和谐才是决定幸福的关键。而且，现代医学、神经科学和心理学的发展为我们达到这个目标提供了科学有效的途径和方法，使内心达到宁静、与人的和谐不再是一种概念，而是只要学习和践行就可以抵达。

其实，生活真的并没有你看到的那么糟糕，生活中没有绝对的好与坏，喜怒哀乐、酸甜苦辣、跌宕起伏都是生活的必然部分，祸兮福兮，彼此相依。有许多科学有效的方法可供学习，让我们不再被过去搅扰，面对现实，享受当下，不忧未来。

很多方法，就像跟农民学锄地，跟厨师学做饭一样简单。自己学了、用了就可以传授给我们身边的亲人、朋友和同伴。

当我们能够解决自己的问题的时候，就会感到自由和身心充满力量；当我们真的可以帮到亲人、朋友的时候，会发现原来生命有着前所未有的满足和甘甜。

生命是一系列选择的结果，所有的选择都有代价。选择了就义无反顾，不要纠结和反复。太多的人，在选择时纠结，在选择后还继续纠结，结果人生就在纠结、怀疑和犹豫的消耗中度过。之所以纠结，是害怕失去的比得到的多，人们很少考虑在纠结中失去的时间、失去的内心宁静和安然，最大的失去是失去时间和内心的平静。如果你的选择是由心而发，结果是利人利己，就开始行动，在行动中，很多问题就会自然解决，当你坚定不移地向前走时，许多门自然会打开。没有人能在纠结中体验到美好生活。

生活不是求仙访道，走捷径。生活一定要自己去品尝、沉淀、付出和创建。生命很短，别辜负了自己，辜负了命运！等、靠、要的人生是乞讨的人生，过一个自己选择的人生，也许很苦，也许很累，也许没人理解，只要自己知道是对的，就勇往直前，因为最悲催的人生是：从未选择，总是被人安排！

亲爱的，你呢，你是否真正为自己做过选择或决定？

从未选择、总是被人安排的人生 是悲催的人生

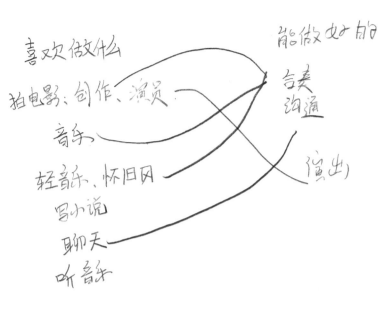

喜欢做什么

能做好的

拍电影：创作、演员

言美
沟通

音乐

轻音乐、怀旧风

演出

写小说

聊天

听音乐

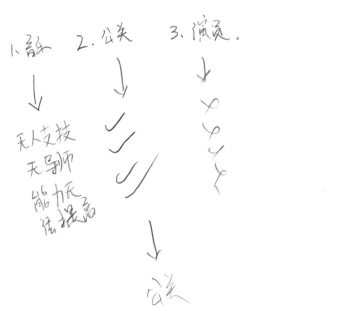

1. 音乐　　2. 公关　　3. 演员.

无人支技
无导师
能力展
法摇言

公关

少有人明白的幸福之道

第一章
Cha

1

何处是归途

生活中，每个人每天都很忙，忙工作，忙学习，忙赚钱，忙买房，忙买车，忙和朋友喝酒吃饭，忙看微信，忙打电话，忙考试，忙升职，忙孩子上学，还有的忙公司上市、忙升官。在各种各样的忙背后，人们究竟在忙什么？为什么忙？其实，人们都在忙幸福！但在忙了这些事儿之后，是离幸福更近了？还是更远了？

有一位民营企业家，身家好几十亿元，有近万名员工，公司运营也很好，但他有一个心结：处在青春期的儿子不理他了，每天把自己关在房间里，不去上学。各种软硬措施都用过了，儿子对他依然不理不睬，他说他就不明白，为什么能把近万名员工搞定，就是搞不定自家孩子？

我问他："你到底想要什么？"他说："我想和孩子有很好的关系，我辛辛苦苦忙了一辈子，就是想给他创造一个更好的生活环境，也希望他以后能够继承我的事业。"但儿子告诉他，根本不稀罕这些，还对他说："在我小时候最需要你的时候，你到什么地方去了？你想什么时候和我好，就什么时候和我好？没门儿！"

我让他回想一下，和儿子在一起感到幸福的场景是什么，他想了一会儿，带着非常吃惊、内疚的脸色告诉我，想不起任何和孩子在一起的开心画面，然后说道："我一直觉得他还小，有奶奶陪着就够了。他缠着我要和我玩的时候，我就觉得有点儿烦，让他到一边儿去。当时，我几乎把全部精力都用在给他创造丰厚的物质条件和优越的环境上了，但他现在却不想跟我说话，更不让我陪他。"他一边说，一边自言自语道："忙了一辈子，忙了一场空啊！"

还有一名女性，非常精明强干，在单位一直备受重视，升职很快。后来工作越来越忙，钱也赚得越来越多，比爱人的收入多很多倍，当然在家里的时间也越来越少，对老公也有一种优越感。突然有一天她发现，那个很多地方都配不上她的老公竟然有了外遇！伤心之余，她开始问自己人生的意义到底是什么。

我相信，你自己或你周围的朋友中，一定不乏类似的感受体验。

为什么自己所有为幸福做的努力却像是一场老虎追鹿的赛跑，追得越紧，鹿跑得越快越远？为什么我们以为的"五子登科"（帽子、位子、票子、车子、房子），拥有了却感受不到幸福？究竟什么地方出了问题？

许多人的选择受周围环境和人的影响，别人认为什么好，就选择做什么。

　　总之，他们活得像一个被不停抽打的陀螺，越转越晕，不知何处是归途，直到有一天，拥有了别人认为的幸福，可内心却没有温暖，没有亲密，还是活得不踏实，发现常伴自己的还是迷茫、空虚、寂寥。

　　还有更多的人，前半生拼命赚钱，后半生用钱买命，只是太多的时候，多少钱都买不来命！

内心的温暖，亲密的关系
才是真幸福

你拥有的是哪一种幸福

"积极心理学之父" Martin Seligman(马丁·塞利格曼)在《Flourish》(《持续的幸福》)一书中提出：人的幸福由五大关键要素组成。我对塞利格曼教授提出的幸福要素的理解是：

第一种幸福：愉悦的感受

比如，看到美丽的风景、时尚的衣服、漂亮的姑娘、帅气的小伙、闻到花香，吃到自己最喜欢吃的各种美味等等。

毫无疑问，来自感官的愉悦确实能给我们带来很多满足，也是最直接、最简单、不用花费很多时间和精力就能获得的快乐，基本上只要花钱都能很快达到目的。但是，来自感官的愉悦有如下几个特性。

（1）看到就想拥有，得到后很快就没了感觉

比如，看到橱窗里的一件很贵的衣服，穿在模特身上特别漂亮，

你迫不及待想穿在自己身上。但终于买回家，很多时候却只穿了几回，甚至根本就没有穿过，就失去了第一次见到这件衣服的兴奋，也不觉得有多好看了。

（2）持续的时间非常短暂

有一个小伙子，从小家境贫寒，一直想出人头地，在别人面前有面子，努力拼搏了多年，终于买了一辆他梦寐以求的宝马。我问他，你买了这辆车以后高兴了多久？他说两个星期，还告诉我，新鲜几天以后他发现，也没有多少人注意到他开的是宝马，很多不知道的人，问他是借谁的车，还有的以为他是别人的司机，这让他感觉非常郁闷。

还有一个姑娘，一直希望自己在别人眼里有档次，认为有档次的标准就是有一个爱马仕包。她省吃俭用了好几年，终于买了一个价位最低的爱马仕包，我问她这个包让她高兴了多久，她说没几天。而且，最让她感到难过的是朋友见到她说："你这个包还真有点儿像真的。"

我问过买房子的人，住进新房子幸福了多久，很少有人回答超过两个月。

现代社会的各种信息经常对我们耳提面命：你要拥有这个，你要拥有那个，要到这儿去，要到那儿去，好像拥有了物质和感官的愉悦就是幸福的全部。很多人也信以为真，真的就把全部精力用在追逐物质、追求感官愉悦上。

要想生活幸福，物质要有，感官愉悦也很重要，只是请记住，一切物质一旦拥有就会开始掉价，而且让你持续愉悦的时间非常短暂。

生命的真相就是这样：不管你拥有什么，拥有多少，都会很快感到空虚、无聊，像是一个永远填不满的无底洞，所以有欲壑难填之说。

第二种幸福：成就感

从小到大，许多人都期待着这样的成就：考上大学、出国；工作升职，有灵魂伴侣，买车买房……

我问过许多人，你拿到大学录取通知书高兴了多久？绝大多数人说不超过两周。我又问，你得到升职的消息后兴奋了多久？回答说也没多久。我还问过很多有钱的人，钱会让你高兴多久？他们说钱到了一定数量就是一个数字而已。

我的静修生中不乏企业高管和老板，支持他们的是一个又一个的"五子登科"甚至"十子登科"的目标，每一次都历经了千辛万苦，打了鸡血似地冲刺，日复一日，不停地奔忙，终于有一天发现"我什么都有了，就是没了快乐"。

还记得，当我给一个 CEO 做"放下过去"的梳理时，她用沙哑的声音大喊着："都拿走，全部都拿走，我什么都不想要！"

有一个妈妈，放弃了自己对事业的追求，把全部精力用在让儿子考上哈佛大学这个目标上，儿子非常喜欢艺术，她却认为学艺术没前途，迫使儿子学商科，儿子不得已从了母命，终于被哈佛大学录取。在拿到通知书的第二天，儿子把通知书连同一张写着"妈妈，这是你想要的哈佛通知书，从此，我们两不相欠，我走了，不要找我"的字条留下来，然后下落不明。

哈佛大学商学院 Clayton Christensen（克莱顿·克里斯坦森）教授说："我们的学生毕业六七年后回到学校，个个意气风发，臂膀里挽着美人；毕业十几年后回来，疲惫、沉默，不少人在打离婚官司；毕业 20 年后，他们不怎么回校园了，孩子跟着前妻在其他地方长大……我们教成功学很在行，却没有教幸福学。"

为什么如此多的人会追求"五子登科"的成就感？

核心原因：第一，并不知道自己究竟想要什么；第二，寻求外界的认同和肯定。

这种以获取他人认同和肯定的成就感有两个特点：

（1）得不偿失

现在，每隔不久，我们就会得到某某企业家、学者、明星、官员因劳累过度英年早逝的消息。

为了追求这些成就，他们失去了健康，失去了生命。他们在生命垂危时共同的感悟是：过往的拼搏真的不值，只是生命不能重来。

即便没有失去生命，不管取得了多少成就，也只是几个点，不能与付出的心血和努力相比，无法平衡，所以会觉得疲惫不堪、内心空荡。

（2）稍纵即逝

不管你得到了什么，位子、票子、功名，一旦拥有，喜悦都不会持久，就像你多年努力，升了职，高兴了多少天呢？

第三种幸福：做喜欢并擅长的事

我有一个朋友，是一位非常著名的律师，之所以当律师，只因为律师是一个非常受人尊敬的职业，同时收入也非常高。他做了许多年，感觉越做越累，身心疲惫，就想辞职不干了，但他们住的大房子房贷还没还清，家里还有要上大学的孩子，于是有很多犹豫和纠结。因为不干的代价意味着全家要从一座高档舒适的别墅中搬出来，从此要精打细算地过日子，还意味着家庭收入的不稳定，意味着孩子要自己打工赚学费，意味着不知道未来会怎么样……

对他自己来说，辞职让未来充满了极大的不确定性，但他真是干够了，干烦了，想离开了。

当他把想法告诉太太后，她非常恐慌，坚决反对；孩子听了也很不高兴，问他："你难道就不能再坚持几年吗？"

他对太太说："我可以不辞职，但你可能会失去丈夫。"又对儿子说："我可以忍几年，但很有可能你很早就会没有爸爸。不仅如此，你们每天会跟一个疲惫不堪、很不开心的人在一起。"

爱人和孩子在无奈中接受了他的选择。他最终选择离职去当作家。房子比以前小了很多，收入比以前少了很多，生活比以前也简单了很多；但是，他去医院的次数少了很多，脾气好了很多，内心比以前充实、快乐了很多。

他失去的都是别人看得到的，但得到的都是别人看不到的。自己的日子，自己的内心，自己知道，对他而言，真正属于自己的生命开始了，不再人云亦云。

又比如我，出生在一个医学世家，和许多中国式父母一样，我的父母亲对培养一个优秀的孩子的定义是：考个好大学，然后读硕士、读博士，做博士后；有一份不论世态怎样炎凉，都不会影响到收入的工作，医生是他们眼中的最好选择。

17 岁的我，不知如何为自己选择未来，就遂了父母的愿做了医学生。在医学领域的求学、行医和研究，一待就是 20 多年。一路走来，一直有逆水行舟之感，除了辛苦，就是疲惫。

从小，老师和家长教育我的是"学海无涯苦作舟""吃得苦中苦，方为人上人"。可我心底常常有个声音：不能就这样过一辈子。能不能把业余时间喜欢做的事情变成一种职业？什么是我喜欢做的事？就是不给钱、倒贴钱、倒贴时间、倒贴精力都愿意做的事儿。

我业余时间最爱干的事儿就是看心理学方面的书，帮人家解决各种关系和情绪问题。于是，我不顾父母和公婆的强烈反对和抗议，顶着朋友们的嘲笑和各种不看好，冒着日后找不到工作的危险，借了一大笔钱，38岁从零开始进入心理学领域。

一进学校开始学习心理学，我就感到无比快乐，如鱼得水，我发现："学海无涯苦作舟"的说法误人子弟，太坑人了，苦是因为你学着你不想学的东西。当你学你想学的东西，你的感觉是如饥似渴！

还有，"吃得苦中苦，方为人上人"的说法也根本不靠谱。如果你把既定的目标当作人生的全部，特别是当目标是功名利禄时，自然会苦，因为有太多的不甘不愿，太多的违背初心，甚至良心。

苦，从来不是因为身体累，而是违背了心愿。做自己不喜欢又不擅长的，不苦才怪呢！

从开始转行做传播幸福的工作，至今已近16年，我感受到的是从心而发的充实，每天都有新的发现和喜悦。

当一个人做一件自己喜欢和擅长的事时，就会做好，做好了就会成为优秀人才，甚至稀缺人才，收入也一定会比其他人高，最关键的是：每天都会感到充实和快乐。生命就不再是拼命赶到一个山顶，又匆匆忙忙攀登下一个山顶；生命会变成一路都是风景，只是每段路的风景都有各自的美妙。

鱼儿不需要刻苦，自会游来游去；雄鹰也不需要努力，就会展翅飞翔！如果你感到"学海无涯苦作舟"，如果你认为"吃得苦中苦，才为人上人"，说明你还没有弄清楚自己喜欢什么，擅长什么！做自己喜欢和擅长的，每天都有忘我的快乐，自然会有发自心底的充实。

我从幸福心理学的研究中发现，做自己喜欢和擅长的事所得到的幸福有两大特点：

（1）会长久地沉浸在忘我的喜悦之中；

（2）会有发自内心的踏实和充实。

第四种幸福：温暖而持久的亲密关系

我曾在不同的课堂上问过近万人这样一个问题：从出生到现在，让你感到最幸福的场景是什么？几乎所有人想到的都是和爱人、亲人、孩子、朋友在一起的场景。从未有人说是加班、完成业绩、买东西、升职、赚了一大笔钱的的时候。

此时此刻，你也可以回忆一下，让你感到最幸福的场景是什么？

在你的生命中，有没有一个人，你可以在凌晨 4 点不假思索地给 Ta 打电话诉说你的烦恼？

如果有的话，你就比没人可以打电话的人长寿。这是哈佛精神科医生 George Vaillant(乔治·威伦特) 的研究发现。

其实我们这一生不管遇到什么事，只要有一个人——哪怕只有一个人，在他面前，你可以完整而真实地呈现自己，将不堪、失败、脆弱的一面呈现给他，得到的不是日后被嘲笑的尴尬，而是关爱、支持、力量、温暖和保护，这就够了！ <u>Ta 不因你的荣辱功过、光鲜失败而靠近献媚或疏离躲闪，而是在你得意时提醒你，在你低落时一直不离不弃，守望相伴。</u>

如果你在一段关系中，感到自己越来越渺小，越来越不自信，越来越卑微，越来越唯命是从，越来越累，越来越不能遵己所愿，委曲求全；不管在别人看来，你的恋人、你的爱人、你的朋友多么优秀，你要知道这不是良好的关系，这是一种被雾霾笼罩的关系，也是一种被虐的关系。别让别人的 "优秀" 成为自己的牢笼。

在各种关系中，最重要的是 亲密关系 。 *并非如此*

很多人，在初始相遇相爱时，全心全意，久了就各自忙碌，忘了悉心关切对方，处久了，见到彼此，都不如见到宠物小狗兴奋。岂不知感情感情，感到了才有情。很多人在发现对方有外遇时才意识到，太久地疏忽、慢怠了对方。岂不知你如果不做爱人的情人，就有人做你爱人的情人。

关系是生命，也是自身修炼的最好的道场。<u>每个人心底深处都渴望自由、温暖和爱，没有人例外。</u>不能相处下去，很多时候是因为不知道如何处理矛盾。

分开、离开都很容易，因为破坏永远比建造容易，但别忘了你在北京不会游泳，到了上海也不会，换了哪儿的游泳池都没用，需要提高的是游泳的能力。

曾有一对夫妇，郎才女貌，相互吸引，终成眷属，婚后10年，男方在工作中结识了一位比妻子年轻、漂亮的女性，激情大发，认为找到了真爱，一定要离婚。和新欢结婚几年后，他便痛苦难言，告诉我："天下女人一般黑，都是要、要、要，抱怨、抱怨、抱怨！"

美国心理学家Susan Campbell（苏珊·坎贝尔）把关系分为五个阶段：（1）浪漫期；（2）矛盾期；（3）平淡期；（4）承诺期；（5）共同创造期。

你可以想想自己处于亲密关系的哪个阶段。太多的人以为，浪漫期，也就是看着对方什么都好的阶段，是判断有没有爱的唯一标准。过了浪漫期，开始有矛盾时，就认为关系开始破裂了，准备离开、分手。实际上，矛盾是建立关系的必然过程，不仅如此，矛盾也是关系升级的标志。

人生是一场单独的旅程，有的人进入你的生活，陪伴你一段，也许带来喜悦，也许带来悲伤，也许带来遗憾；有的人离开，也许带走梦想，带走希望，带走信任，带走温暖和渴望。

有人曾山盟海誓要与你相伴一生，实际上不过是匆匆过客；有人不曾承诺，却相守一生。但不管来去都是命定的缘分，妆点了生活，留下了风采！

所有相遇，不管长短，都是一面自己修为的测试镜！正着看别人，反着看自己！所有的相遇都是为了让我们更懂自己，也更懂他人。

智慧的真正含义就是知己知彼。生命本不复杂。所谓的世态炎凉，是我们既不懂自己，也不懂他人。当我们懂了，就可以冷暖自知了，人生就是慢慢地走向自如的旅程。

21世纪，我们面临的最大危机不是金融危机，不是能源危机，而是夫妻打架、离婚给子孙后代带来的心理危机，让他们没有自信，失去自己，失去快乐，害怕亲密关系，几十年后仍然生活在恐惧之中。

现代医学越来越多地证明，人的各种疾病和负面情绪密切相关，常听人说，谁谁气死了，谁谁伤心死了，谁谁吓死了，所有情绪都是在和他人相处中产生的，我认为可以毫不夸张地说，生病是因为你的关系出了问题！

有很多人，我问他们如何学习管理自己的情绪，如何与爱人、孩子、上级、同事、公婆相处，普遍的回答是：没有时间，没有精力。可是如果哪一天，你身体不舒服去医院看病，医生说，发现你身体某个部位长了个东西，需要马上住院，还要交几万元押金，这个时候，突然不但有时间，有精力，还有钱！

据卫生计生委新闻发言人指出，"中国人一生中在健康方面的投入，60%~80%花在临死前一个月的治疗上！"

我们为什么不能在来得及的时候从源头把握自己的命运？而是

在没有可能挽回的时候，倾家荡产，人财两空？人生最重要的事业是经营关系。关系是一生的事业！关系好了一切都容易好。

第五种幸福：帮助他人

真正的幸福一定有让他人快乐的成分。——印度谚语

塞利格曼教授把这部分称作生命的意义。

我认为，世界上的人可以分为以下几个等级：

（1）损人不利己

明知对人对己都没好处，但还是继续为之，经常失控的人。监狱里关的一般都是这种人。

（2）损人利己

为了自己的利益不择手段，甚至损害他人的利益、健康和生命。然而天网恢恢，疏而不漏，损人者必会伤己，只是早晚而已。

（3）不损人利己

为自己奋斗，但有底线，不损害他人的利益。这种人总是孤家寡人，寂寞孤独，因为单打独斗，很难有多大成就。从古到今，合作都是王道，没有人可以仅凭自己就能成就一切。

（4）利人利己

在与人相处共事时，能够时时刻刻考虑、关注到他人的感受和

利益。利人者一定利己，想想看，你是否愿意和一个处处考虑你的感受和利益的人一起共事相处？而人性有一个共通的地方，就是不愿亏欠别人。?

（5）不顾己利人 *Ignore it I think, imposible for a normal human like me.*

这是人类的最高境界。为了大众的利益、安全、健康和幸福，不顾自己的利益，甚至冒生命之险，比如马丁·路德·金、特蕾莎修女。

达到第五级不容易，但达到第四级不难。

其实，世界上最高级别的利己，是帮助他人，有科学研究为证，美国幸福学研究专家 Sonja Lyubomirsky（桑雅·吕波密斯基）在她的《How of Happiness》（《幸福有方法》）一书里，描述了一群实验者按照下面的指导语进行善举的实验：

"在每天的生活中，我们都会有善举。这些善举可能大，也可能小。受益人可能感觉得到，也可能并没有察觉。比如，帮陌生人付停车费，献血，帮朋友做功课，看望老人，写感谢信。在接下来的一周，你要做五件善事。不要只对一个人行善，受益人知不知道都可以，你的善举也不必局限于上面所列举的范围。还有，不要做任何对自己有危险的事。"

实验结果发现：助人可以明显提升自己的幸福感。为什么呢？

（1）因为助人可以影响或改变你对自己的认识，让你觉得自己是个乐于助人、有同情心的人，进而更加自信、乐观，提升了自我价值感，也会使自己有机会增加资源和提高专业能力。

（2）助人者都很招人喜欢。因为助人，你会得到赞扬、肯定和认可。而被人认可，是除了安全需求之外人类的最大需求，对不缺安全感的人来说，这是人的第一需求。

记得，我在美国学心理学快毕业时开始找工作，因为学历高，又是外国人，投了无数份简历，都没有回音。后来，我一边继续投简历，一边报名到危机干预热线去做义工，做义工期间，学会了如何帮助有极端情绪、失控、有自杀想法的人稳定情绪、转危为安的方法，这使我在后来碰到这类情况时能够镇定自若地处理，真的受益很深。不仅如此，危机干预中心的主任还把我推荐给了美国最大的社区心理健康中心 Centerstone 的 CEO，我很快被安排面试，在面试现场就被录用了，而此前，我给他们不同部门发了好几次简历，都石沉大海。

汶川特大地震后，作为中国青少年发展基金会"5·12 心灵守望计划"的临床总督导，我和志愿者团队、爱人、女儿一起去了汶川，做心理援助。很多人觉得我在余震频频、洪水随时可能暴发、灾后可能发生疫情的情况下，把从小在美国长大、不到 10 岁的女儿带到地震灾区，还要每天面对许多失去家园、失去亲人的人的哭诉，一定非常不容易，受了很多苦。

我觉得在汶川救援的三年是我的生命和专业，成长和收获最大的三年。不是我帮助了灾区的民众，是他们帮助了我。记得有一个来自北川的 60 多岁的大姐，在地震中失去了房屋，失去了爱人，失去了最爱的孙女。她躺在临时避难所——四川绵阳九州体育馆的地上，等着下一次余震把她永远地带离这个世界，可是频频余震，没有一次大到可以把她带走。

我问她："你最擅长的是什么？"她很骄傲地说，种莴苣笋，喂猪，她的莴苣笋长得又粗又大，猪养得白白胖胖，邻居都很羡慕她。可是北川已被夷为平地，她的村庄已经消失，她的技能将无用武之地，她陷入了深深的无望。躺了几天觉得无聊，就站起来四处走，看到志愿者给灾民剪头发，很忙，顾不得收拾地上的头发，天性闲不住的大姐，开始帮着志愿者理发师扫地。但理发师少，需要理发的人多，理发师说教她让她试试剪发，她一试，果然还可以。于是就给灾民当起了义务理发师。 ~~人一但设置了自己的底线就会无所畏惧~~

我问她将来怎么办，她说："听说从北川来的很多灾民，将来会集中住在安置地。有人的地方就需要剪头发，我准备开个理发室，别人收两块，我收一块；别人收一块，我收五毛，肯定可以活下去的。"说这话时，我看见她眼中充满的是对未来的希望。

与许许多多经历过生死的灾难幸存者的相伴，让我看到什么叫创伤，什么叫真正地面对，什么叫人性的顽强，什么叫乐观，什么叫置之死地而后生，什么叫绝望和希望，伴随他们的日子，我的生命得到了淬炼和洗礼，也第一次真正知道如何陪伴一个人放下悲伤、恐惧，重获生命的希望。三年汶川救援，最大的获益者是我自己。

至于我女儿，许多人不理解，当他们在大城市千方百计为孩子找好学校，找名校时，我却带着女儿奔向灾区，在板房里上学。记得灾后的汶川经常下雨，有一天雨下得很大，女儿回来告诉我，她们学校的板房教室进了很多水，越积越深，同学们都非常惊恐，喊救命，我问她："你害怕吗？"她说，"不怕，我准备水再深些，就开始游泳。"

我相信孩子要富养，富养就是给她创造条件，行千里路，破万卷书，体验无数。汶川，使她学会适应各种环境，丰富了人生的体验，更重要的是知道如何面对变化，知道学会感恩。而这一切不可能通过别人讲道理知道，而是在体验和历练中真正地知道。

有很多人说，助人是有钱人做的事情；也有人会说："我非常愿意帮助别人，但是总找不到机会。"

想一想，这个世界上有70多亿人，与我们相遇的人其实很有限，包括路人。每一次人和人的相遇都是我们助人助己的缘分。只要留心，每天都可以做对别人有帮助的事儿，生活中对别人有帮助的事儿不一定很大，如善意的眼神和微笑；上电梯时，等一下后面的人；挤车时，让着急的人先上，等等。

在我的环境中，我可以助谁？

在帮助他人时会不自觉地提高自己的能力、觉察和修养，路也越来越宽，生命越来越强大。

生命说到底是一场体验，是一场绽放自己、丰富自己的体验。在提高自己、帮助别人的体验中最容易感受到丰盛、充实和持久的幸福。

按照幸福感的持续时间，我们把感到愉悦、获得事业的成功划分到"短期幸福"或者称其为"即时幸福"，换而言之，这样的幸福感一旦获得就会开始"贬值"；做自己喜欢并擅长的事情，拥有稳定的亲密关系和帮助他人划分到"长期幸福"或者称其为"持续幸福"。

幸福不仅仅是得到了你想要的人，想要的东西，想要的环境，幸福更是一种能力，是能够放下过去、少忧未来、感受当下的能力，是学会与一切不如意和痛苦和平共处的能力，因为人生不如意事十之八九。

人生非常短，时间是唯一一个不可替代、不可购买、不可重来的东西，而这东西就是我们的命，我们真的要把这些时间好好利用起来，最好的方式是首先知道，究竟你想要什么？什么使你能够感到真正的幸福？什么阻碍了你的幸福？

er

所有的伤痛都值得欣赏

第二章

Chap

2

人生皆苦，苦来自何方

我曾在微博上发起了一次几千人参与的投票："压力从哪儿来？"结果排在前三位的是：后悔过去，担心未来，比较今天。

我认为，后悔过去，担心未来，比较今天，是人生痛苦的三大来源。因为我们太想得到自己想要的人、事、环境，因为各种原因，没有如愿以偿，所以后悔难过，恐怕得不到，所以担忧未来。现实中，太多的人、事和环境不符合自己心中的标准，所以不满。

许多人把今天用在后悔过去、担心未来上，然后今天就变成了后悔的昨天；明天的担心更加剧烈，变成焦虑；焦虑变成恐惧、失眠、胃痛等不适随之而来。这是内耗，是恶性循环。

一行禅师说过："你用于担心未来、后悔过去的每一分钟，都是你失去和生命重新约会的一分钟。"

出路是放下过去、面对今天、创建未来，每个人都有足够的资源、智慧和力量解决自己的困境，只是人常把眼光放在外界，看自己不具备的一切，所以感到无助、无奈。

人实际拥有的只有今天，每天有 15 万多人离去不再有今天。能做什么就先做什么吧，从今天开始，尽量用心说好每一句话，做好每一件事，好好对待每一个人，做的过程中，路自然开放，自然就无暇后悔过去、担心未来。

后悔过去

在"对于过去，你最后悔的是什么"的调查中，我将网友提到的所有后悔的事归纳为如下几个方面：a. 选错了工作，干错了行；b. 选错爱错了人；c. 说错了话；d. 做错了事。

在我看来，人生总有后悔之事，但我们不能老是后悔过去，很多人沉浸在于对过去的后悔中，把时间精力花在悔不该当初上，脑子里一遍又一遍地想着如果当时怎样怎样就不会如何如何，<u>时间就在后悔过去之中流过，而现实没有任何改变</u>。

我认为没有人想做错事，没有人想刻意搞糟自己的生活，我相信每个人在每一个时刻都想为自己做最好的决定。过去的决定也都是基于我们彼时彼刻的能力、资源、智慧、信息和所处环境做出的最好的决定，没人可以预测未来，

<u>所以不管过去发生了什么，都要放过自己！不必去纠结对错。每一件事都是通向智慧的机会。</u>

对于过去发生的，特别是不愉快的事情，一般有三种应对方法，有的人后悔自责，有的人恐惧害怕，有的人把精力用在思考从中学到了什么。因此，有的人悲伤难过，不能自拔；有的人躲避远离；有的人吸取教训，再次上路。如此，人生从此不同！

看着许多年轻人把时间和精力用在无目的的消耗和抱怨之中，我常有一种深切的心痛。人生是一次单向的旅程，没有回头和重来的可能。

看到了太多充满遗憾、后悔的生命，对自己的人生不仅没有任何意义还会起到破坏性的作用。所以对过去的事，学会接受自己，疼惜自己，需要问自己的是：在这件事中，我收获了什么？今后如何做得更好？往前走，莫回头！

人的一生中后悔没做的事比后悔做错的事多得多！生命要么在恐惧中耗尽，要么在冒险中绽放。总体而言，多数人在恐惧中错过生命的机缘，在后悔中徘徊；少数人勇于承担人生必须经受的风险，享受无悔的精彩人生。

比较今天

我们常常觉得自己要是像谁谁就好了，我们常常以为别人的生活比自己的精彩。其实，第一，别人的生活精不精彩和你毫无关系；第二，到底精不精彩你也不知道；第三，知道了又能怎样，你不还得过自己的日子。所以，要比就和自己比，今天是否比昨天有所成长？

（与别人比较总想证明自己，甚至心里总觉得不服气，不甘心的背后，往往不是自傲而是自卑，是认为自己不够好，是不自信，是不接纳自己原本的样子，不能肯定自己身为一个独特个体的价值。）总喜欢和别人比较与竞争，往往是缺少安全感的典型表现，而幸福感源于内心的安定与自由。

比较在一个条件下是有意义的，就是比较是为了给自己找榜样，建立自己人生的方向，激励自己的成长，否则就是对自己的伤害。

担心未来

（担心未来是因为现在没有安全感，没有充实感，是逃避努力的方法和借口。）与其花时间去担心找不到工作，担心另一半跟人跑了，担心天灾人祸降临到你头上，还不如将这些时间和精力用在去创造自己的生活，丰盈自己的生命，因为担心未来只会有更多的恐惧和焦虑。

没有人能预知未来，应对担忧的最有效的方法是让自己的每一天都在想，都在做和目标有关的事，把握了当下就把握了未来。

一个后悔过去的人、一个担心未来的人、一个与人比较的人、一个忙于评判指责的人、一个传播流言蜚语的人，都不会有属于自己的生活，属于自己的风采，属于自己的充实，属于自己的安宁与幸福。

　你花时间做什么，你就会成为什么样的人！每一个用于后悔过去、担心未来、比较今天的时刻，都会成为停止成长、生命倒退的时刻！也会使我们失去觉察、醒悟、创建自己生命的时机！生命在忧虑中萎缩，在行动中充盈！

苦难并不可怕，苦难生成怨恨才可怕

有这样一个故事。

从前有一个小猴子，有一天摘果子不小心从树上掉下来，肚子被树枝划了一个大口子，流了很多血。小猴子吓坏了，飞快地跑回猴群，不停地惊叫，希望别的猴子看到它。

有的猴子过来给它按一按，有的猴子过来给它舔一舔，更多的猴子只是看看就走开了。最后小猴子还是只能自己回到洞里，等待伤口慢慢愈合。但是伤口的愈合是缓慢而痛苦的，小猴子疼得难受时，就走到同伴面前，复述自己当天的经历，然后一次又一次地揭开自己的伤口给对方看："你看，它还没好呢，它还在流血呢！"每到此时，它都会得到一些宽慰的话或是心疼的神情、贴心的建议。

小猴子发现，每每这时，内心的焦躁和疼痛才能有短暂而些微的安抚。于是，他一次又一次地重复着这样的过程……

故事原来的结局是：小猴子总是不停地诉说，揭开自己的伤口给别的猴子看，同伴们变得越来越不耐烦，不再愿意接近小猴子了。最后，小猴子变得越来越形单影只，离群索居，它的心里也聚积了越来越多的怨恨。

不知亲爱的你从这个故事里有没有看到自己的影子或者想起身边的某一个人？这样的结局熟悉且并不遥远，身上伤口的疼痛或许会被抚慰，而内心的黑洞永远也填不满。(一次次撕开伤口，反复显露给别人看，但不知不觉间做了一个令人生厌、想要远离的"受害者"，而你又会因为别人的疏离生出怨恨，如此循环往复。)

可是，故事只能是这样一个结局吗？可怜的小猴子只能走上越来越孤单和充满怨恨的人生路吗？

生命的每一次痛后面都藏着一个大智慧

故事还可能是这样的。

有一天，小猴子遇到一只智慧的老猴子，它又故技重演，老猴子慢慢地将它揽在怀里，让它闭上眼睛，然后轻轻地、温柔地对它说："亲爱的孩子，受伤了一定很疼吧，痛了那么久，一定很辛苦吧，可是，你要知道，疗愈伤口的不是别人的眼神和话语，而是我们自己，在我怀里，好好地疼一次吧，不要再用别的疼痛来掩盖这种痛苦了，用自己的力量勇敢去面对是化解伤痛和怨恨的最好办法。"

在老猴子温暖的怀里，小猴子默默地流出了眼泪。当疼痛和焦躁再次靠近的时候，小猴子没有急着躲开和给别的猴子看，它体会着自己身体的感受，最后发现，自己不用揭开伤口，这份焦躁和疼痛同样会过去。当它睁开眼睛，迎接它的是老猴子慈爱的目光，老猴子什么也没有说，只是拿起小猴子用来撕开伤口的手，亲了亲，然后把它按在了小猴子的心上……

其实，我们每个人都是这只小猴子，漫漫人生路，谁没有受过伤？谁没有经历过痛？对于同样的遭遇或是伤害，不同的方式决定不同的结果，是勇敢去面对还是逃避？是做一个探索者和挑战者，还是做一个伤害者和乞讨者？

也许我们没有小猴子幸运，能遇上智慧的老猴子可以帮它开悟，但从你读到这篇文章时就要记得：学会怎样与痛苦相处，内心才会有真正的自由和快乐！把揭开伤口的手抚在心上，去感受你的痛苦。

请记住，每一个疼痛后面都藏着一个智慧。人的本性是远离疼痛，但是对抗，痛苦就会持续。

我们需要做的是进入疼痛，穿越疼痛，温柔的与疼痛在一起，最终收获痛苦带来的启示。无论这启示是什么，其实都是化了装的智慧。

触摸自己的疼痛，带着温柔去关怀内心，我们就会抵达真实的自己。

放下伤痛的方式只有一种，就是面对。面对是非常艰难的事情，但这也是唯一的路径。面对才是人生黑暗中的希望所在。

美国诗人艾伦·金斯堡认为，苦难本身并不可怕，由苦难而生的怨恨才是真正的痛苦。

哈佛医学院临床心理学家 Christopher K. Germer（克里斯托弗·肯·杰默）博士在《不与自己对抗，你就会更强大》中写道："人生中大多数的痛苦不是别人给你造成的，而是自己跟自己过不去。别人的同情会让自己显得弱小，自我关怀则会让我们变得强大。"

2000 年，南京一起德国人灭门事件，震惊国内外。

2000 年 4 月 1 日深夜，来自江苏北部沭阳县的 4 个失业青年潜入南京一栋别墅行窃，被发现后，他们持刀杀害了屋主德国人普方（时任中德合资扬州亚星——奔驰公司外方副总经理）及其妻子、儿子和女儿。案发后，4 名 18~21 岁的凶手随即被捕，后被法院判处死刑。

任何一个母亲在知道自己儿子一家惨遭杀害后，都有足够的理由愤怒；都有足够的理由要求凶手以命偿还；也有足够的理由认为世界是黑暗的，人是残暴的；甚至有足够的理由，选择离开这个世界，也可以抱怨终生。

而普方先生的母亲，接到噩耗后，从德国赶到南京，老人作出一个让中国人觉得很陌生的决定——她写信给地方法院，表示不希望判 4 个年轻人死刑，"德国没有死刑，我们会觉得，他们的死不能改变现实"。

接纳不能改变的，改变能够改变的就是面对。

伤痛，不是逃避，而是需要面对；痛苦，躲开就会持续，面对就会化解。如何和痛苦相处是我们一生的功课，而我们每个人内心深处都有足够的智慧、力量和爱去面对和穿越一切疼痛、苦难和黑暗！

是的，每个人都可以，没有例外，只要你愿意学习和面对！

与痛苦和平共处

有一个故事是这样的：一只老鼠总是痛苦，因为非常怕猫，上帝同情它的遭遇，便把它变成猫。老鼠变成猫后又害怕狗，上帝又把它变成狗。但它又开始害怕老虎，上帝就让它做老虎。最后，它又担心会遇上猎人，上帝只好把它变回老鼠。上帝说："无论我怎么做都帮不了你，因为你缺乏面对现实的勇气。"

这个故事告诉我们：人人都想远离痛苦，所以希望得到一种消除痛苦的神奇秘方，以便把世界变成自己想要的样子。然而，生活中有太多的痛苦——亲人的离开，健康的丧失，无法忘记的过去，无法改变的环境和人，无法疗愈的病痛，等等无法遂愿、力不能及的现实，没有什么灵丹妙药可以解脱或消除。

这时，需要另外的途径——改变自己和痛苦的关系，学会和痛苦共舞，不是敌对，才能真地驾驭痛苦。

痛苦由两个核心和三个层次组成。两个核心：第一，客观发生的事件；第二，自己编演的悲剧。三个层次：当现实和预期相差太远，产生第一层痛苦；然后就要求别人改变，别人不改，就认为自己没有被爱、被认可、被尊重，产生了第二层痛苦；之后就开始指责、对抗甚至攻击，这就产生了第三层痛苦。

如果能够区别什么是客观发生的事件，什么是自己编演的悲剧，就能够明白现实和预期的差距是因为自己的愿望与能力不匹配这个事实，那么改变预期的标准，就会减少很多没有必要的痛苦。

与不能改变的一切和平相处

如果你感到痛苦，不是因为发生了什么，而是你对自己说了：Ta 欺骗了我，Ta 伤害了我，Ta 不尊重我，Ta 不爱我，Ta 对不起我，Ta 委屈了我。

静下来，细细想就会知道：是自己编了网缠住了自己。没有谁对不起你，是你的判断错了位，期待错了位，选择错了位。

人生遇到的一切痛苦大多是错位的提醒，仅此而已。

人生绝大多数的痛苦都发生在人际关系中，许多痛苦的起源都不是我们想有意伤害彼此，而是彼此的误解和表达需求的错位。真正的疗愈是我们能够静下来，倾听彼此的心声，还事情以真相。

在关系中受伤，在关系中疗愈。但是，大多数人不是选择对抗，就是选择逃避，再加上自己在头脑中无限夸大，于是使自己陷入长久的痛苦不能自拔。

所以，如果你感到烦恼或痛苦，一定是有的人，有的事，有的地方不尽如你的意，或者你想用自己的方式改变他们没有"得逞"。而且，你坚持得越久，痛苦就越深。你用以往的方式，只会重复以往的结果。

什么是幸福？幸福是学会在生活中与不能改变的一切和平相处。在每个你不喜欢的人、事和环境后面，看到自己需要成长学习的功课，接受现实，改变自己——记住是改变自己，不是改变他人。

对抗和逃避只能放大痛苦

不要以为只有甜美、快乐、幸福、开心才是生活的体验，担心、害怕、烦恼、愤怒、纠结、压抑、悲伤、内疚、悔恨也是生命的必然体验。如果去对抗和逃避，你所拥有的就不仅是害怕和愤怒，还有对抗和逃避后产生的痛苦，也就是说，本来只有一箭穿心，现在变成双箭穿心。

感到痛苦时，人的第一反应就是想远离、逃避、排斥、对抗，但痛苦不会因此而消失，反而更加激烈。结果，除了本身的痛苦，又添加了对抗和逃避的痛苦。痛苦是哨兵，是警卫，来告诉我们身体、情绪、环境需要调整了。这时，当务之急是进入它，接受它，感受它，倾听它带来的信息，问问它如何缓解。

因为，就像孩子是在母亲的痛苦中诞生的一样，所有的智慧和能量都来源于痛苦。

不管生命经历了什么，都是你参与的结果。或成或败，都与你的判断、能力和知识有关。当人生不尽如人意时，不要数落别人的种种不是，而要马上思考：我需要提高什么？学习什么？

没有一个人是靠抱怨成就幸福人生的，快乐的人和痛苦的人，最大的区别不是经历不同，而是经历之后问了自己什么。

蛹化成蝶的过程是痛苦的，但只有经历过才能自由飞翔，这个过程没人可以替代，也没人帮得上忙。但请记住，任何时候，你都可以决定：你究竟想一生为蛹，还是由蛹化蝶。做蛹做蝶，本身并无好坏，关键是你决定要做什么，而不是常常纠结。

亲爱的，要感恩痛苦

人痛苦是因为常常不自觉地把太多的思想、时间和精力用在后悔过去、不满今天、担心未来上了，因为把眼光放在外界，看自己不具备的一切，所以感到无助、无奈。

这是内耗，是恶性循环。怎么办呢？出路是放下过去，面对今天，创建未来。

所以亲爱的，不要急于躲避或推开你此时感到的任何痛苦和不愉悦，不要急于把此刻难受的感觉死死认定为不好的东西。痛苦是我们保护身心健康的哨兵和卫士，告诉我们有的地方出问题了，需要调整，需要关怀或改变。

当痛苦来临时，要感恩痛苦的提醒，这时，你可能会发现感恩的心态会使痛苦减轻。静下来，细细体味其中的感受，身体的、情绪的、思想的，收获其中的所有。

每段经历中的困惑和坎坷都是生命的提醒，痛苦是灵魂被困扰时发出的呐喊，困惑是智慧的开始，都让我们更加贴近真实的自己。

很多时候，我们疲倦不堪，实际上是因为我们与疲倦对抗，所以才感到有点儿撑不下去了；我们痛苦，是因为我们对抗痛苦，所以愈加痛苦。对抗，就会持续。而接纳和关怀，才能安心，抵达平静。

当我们能够不再任由头脑批判、控制、挑剔，试着学习接纳每个时刻的不如意和不完美时，痛苦就会悄然减弱，甚至消失。

人生没有意外

记得在汶川救援时，一位父亲在地震中失去了8岁的儿子，他满脸挂着泪水，说道："每当我想起儿子让我陪他去钓鱼，而我拒绝了他，去打麻将的场景，我就有钻心的疼痛，我总以为来日方长，'5·12'当天早上，他离家上学走的时候，我还凶他，让他好好学习，没想到竟是永诀。"

还有一位母亲，女儿在读高三的时候，因患癌症病逝。她一向以做严母自傲，认为女孩子要学会独立自主，让女儿学琴、棋、书、画，让女儿业余时间补数、理、化，让女儿把全部精力和业余时间都用来学习，不准和同学玩耍，不准看课外书，也不准玩手机、打游戏，甚至看电影的时间都很少，总之，要女儿出人头地，功课名列前茅。女儿按照妈妈的标准是非常优秀，琴、棋、书、画样样都会，学习成绩也名列前茅，只是郁郁寡欢，不太与人来往，回家话也很少，当然也没时间说话，当她因体力不佳学习跟不上的时候，去医院检查是患了癌症，不久便离开了人世。我听着这位母亲悲痛欲绝地呼喊："我的女儿，妈妈恨自己，没有让你有过快乐的童年，也没有快乐的青春，妈妈只想让你学习好，成名成家；现在，你人都没有了，是妈妈害死你的，妈妈对不起你啊，可对不起你有什么用呢？如果你给妈妈一次机会，我什么都不要求你，只求每天能看到你。"

不是所有的再见，都意味着再次相见，有的再见，就是永诀。有多少未尽的情、未了的意、未说的话、未做的事、未来得及的道歉、未告白的爱、未言的感恩和祝愿，一起涌上心头，让人痛苦难耐，不知如何化解。

失去是人生的痛苦之一，最大的失去是失去亲人和爱人。我们每天与亲人在一起时，常觉得来日方长，没觉得需要珍惜在一起的时光，因为习惯了彼此，也就不以为意；因为会有矛盾，还可能互相伤害。可是，生命无常，我们真的需要在意外发生后、亲人离开时，才想起我们本该好好对待亲人和爱人吗？

人生的意外其实是常态

人生其实没有意外，意外也是常态。在充满变化和意外的世界里，不是每个人每天出门都能够安全回家；也不是每个人今晚睡下，明天仍然能够活着起来。人间唯有生死是大事，其他真的都是小事。

在岁月的流淌中，我们终究会发现，其实人生最宝贵、最让人心底充满温暖幸福的不是功名利禄，不是多么光鲜靓丽，而是晚上回家，躺在床上，身边有一位相伴多年仍不改初心的人——Ta 从心底希望你好，希望你健康，希望你不要太劳累，你病与不病，怨与不怨，Ta 将身心的温度都给予你，这才是生命真正的旋律和归宿。

这个世界上也许有很多不公平，但有一样东西上天对谁都绝对公平，那就是时间。如果不珍惜每一寸光阴，把每一天都当作生命中的最后一天，人生或将充满遗憾，或将悔恨难当。到头来，生命也许就像一缕轻烟，消散得无影无踪。

我们真实拥有的只有当下这一刻

乔布斯在斯坦福大学毕业典礼上说，他 17 岁时读到一句话："如果你把每一天都当作生命中的最后一天去生活的话，那么有一天你会发现你是正确的。"从那时开始，33 年来，他每天早晨都会对着镜子问自己："如果今天是你生命中的最后一天，你会不会完成你今天想做的事情呢？"

当答案连续多天是"No"的时候，他知道自己需要改变某些事情了。"记住你即将死去"是他一生中最重要的箴言，所有的荣誉、骄傲，对难堪和失败的恐惧，这些在死亡面前都会通通消失。你已经赤身裸体了，没有理由不去听从自己内心的声音。

现在，无论你是妻子还是丈夫，无论你是孩子还是父母，停下来，是的，就在此刻。

当孩子说："妈妈，你陪我玩儿。"请别再说："宝贝，等我做完手头的事情再陪你。"记得蹲下来给 Ta 一个吻，然后和 Ta 一起玩儿。

当妈妈打来电话问你几点回家，请别再不耐烦地说："别催了，别催了，忙着呢！"而是轻柔地说："妈妈，我很快就回来。"让她少一些牵挂。

当爱人要和你亲昵时，别再想着你的微信、邮件还有那些狗屁账单，和 Ta 温情地相拥相吻吧，带着爱去含情脉脉地凝望 Ta 的双眼……

人生很长，也很短。所有的事情都在这一刻发生，这一刻组成了生命的全部。有人却用这一刻来后悔过去，用这一刻担心未来，用这一刻与人比较，总以为还有很多的未来，很多数不尽的时日，所以很少用心体验和珍惜这一刻。有时，一转眼、一转身，便是我们今生缘分的全部。实际上，今生，我们永远真实拥有的只有这一刻。

请在有生之年，请在这一刻，爱自己，爱你的 Ta。

现在，深呼吸，静下心来，问自己："如果今天是我这辈子的最后一天，我要做些什么？"

一切都可以放下，只要用合适的方法

每个人都有一些难以忘怀的经历，都曾经遇到过一些人，碰到过一些事，听到过一些话，看到过一些场景，有的甚至已经记不住细节，但那时的感受和情绪还一直萦绕在心间。比如亲人离世、恋人分手、遭人误解、经历不幸等等，让我们常常辗转反侧，难以入眠，每每想起心中都难以释怀。

许多人以为，时间可以疗愈一切伤痛。实际上，时间可以疗愈一些伤痛，但时间不能疗愈所有的伤痛。如果一件事情发生后超过一年，你想起来还会感到难过、害怕、恐惧或者愤怒，还会对你今天的生活产生影响，这件事就是心理的"创伤"，就不是时间所能疗愈的了。

真正的疗愈是当你看到类似场景时，或当回忆往事时，心中不再有伤痛，能平静地观赏曾经的经历。

对于所有使我们伤痛的事情，人的本能反应就是逃避，不去想它，把它埋藏在记忆深处，希望时间把它带走，以为时间可以让伤痛消失得无影无踪。这其实是个误区。如果伤痛不是很深，时间确实可以帮助我们忘记过去；可是如果伤得太深，就会跟随我们很久很久，无法自愈。

这和身体遭受的伤害一样——如果只是手上被划伤，过几天它自然会愈合；可是如果伤得很深，愈合的时间就会变长；即便愈合了，也会留下很深的疤痕，甚至畸形，正常功能受损。

心灵受伤害也是如此，不是所有的事情都会随时光远去。到底哪些可以自行疗愈，哪些不行？通常以一年为界，如果超过一年我们还不能够自行梳理的，就需要寻求专业的梳理，这种梳理叫作"放下过去"。

一切都可以放下，只要用合适的方法。

面对，才会让噩梦消散

举个例子，有一名外企的女主管，人长得漂亮而且非常能干，她曾有一个中等身材、有些秃顶的丈夫。在婚姻生活中，丈夫对她经常实施家暴，于是两人离了婚。分手后这名女士一看到像她前夫那种体形的男人，就会身不由己地害怕，浑身发麻、颤抖，无法控制。而中等身材、秃顶的中年男性到处都有啊，可以想象前夫对她生活影响的严重程度。

因为前夫施暴曾发生在某个城市，后来她就不敢再回到那个城市了。

俗话说："一朝被蛇咬，十年怕井绳。"我们的身体有一套自动记录危险信息的报警装置，会记录一切让我们感到不愉快或危险的人、事和场景，并且会把事件发生时相关的形状、颜色、味道、气味，环境中的一切，都记录下来作为不安全信号，每每遇到相关信号，身体就会自动反应，提醒我们远离和逃离危险。身体本能的趋利避害，可帮我们避免再受伤害。

事实上，并不是每个中等身材、秃顶的男人都会对她造成伤害，她心里也知道，道理也懂，但就是无法控制和面对这种场景。相信读者朋友中也有很多人，道理都知道，但就是无法控制自己。因为许多人不明白，其实控制人的行为最强大的东西，第一是本能，第二是情绪和欲望，第三才是道理。这个驱动我们行为的顺序，对了解自己、理解别人都很重要。

那个害怕中等身材、秃顶男性的女士，我们陪她到商场里去逛，不一会儿就看到一个外形类似的男性，她紧紧攥着我的手，浑身发抖，手脚冰凉，脸色变白，马上想转身就跑，我让她站在那儿，把关注点放在身体上，慢慢地呼吸，一边呼吸一边接着看那个男人，那个人在买东西，没有看她，也没有回头，更重要的是没有攻击她。她的身体慢慢停止了抖动，心慢慢平静下来，她预设的危险并没有发生，这个过程我们叫"现实暴露"。

在这个过程中，她的身体重新记录了信号，不是所有中等身材、秃顶的男人都是危险的。从此以后，她就不再惧怕这一类男人，生活自由和轻松很多。

如果你有类似的困惑和苦衷，用 0~10 衡量你难受的程度，难受程度在 5~7 的话，你可以尝试自己去面对，如果不确定，可以找专业人士来帮助你。

灾难所带来的伤痛，惟有面对才能放下

类似的例子还有很多。2008 年汶川特大地震的时候，很多师生因为校舍的水泥墙塌陷而被埋。一些幸存者在地震过后开始害怕和恐惧水泥砖瓦的空间结构。其实这些空间结构在正常生活中是不危险的，但是因为和创伤事件连在一起，使得他们看到所有水泥结构的建筑，都会不由自主地恐惧回避，有很多人因此不能走进学校、办公楼、甚至餐馆，心里创伤使他们不能正常生活。

对于环境和具体物体的恐惧，"现实暴露"疗法非常有效。我和我的团队在汶川处理了大量地震创伤的案件，经过梳理的师生都能重返正常的生活和学习环境，这也让我感到无比欣慰。

还有更多的伤痛来自于，谁说了什么，做了什么，让你久久不能忘怀，不能原谅。绝大多数来自于人与人之间关系的伤痛，都是

因为没有看到事情的全相，偏听偏信，只从自己的角度理解，没能从对方的角度考虑。放下过去的最好方法，就是面对过去发生的事件，从对方的角度去考虑，当时他（她）在什么场景、什么背景、什么时刻和什么状态下这么做。当你真正理解那个人当时为什么要这么做的时候，一般都会放下。在我这么多年的职业生涯中，只要愿意面对，看事情的全相，从对方的角度考虑，基本上没有放不下的隔阂。

很多人，不是选择面对，而是回避，把这个事件当作彼此关系的一个壁障，特别是在恋人之间、夫妻之间、父子之间和母子之间，无论对方做了多少件好事，但只要有一件对自己伤害特别大的事情，这件事情就会替代和掩盖过往的一切好事。

一件坏事可以把一千件好事抹掉，使双方深陷痛苦，让自己多少美好的回忆化为尘埃。就好比我们携手旅行，走过无数青山绿水，路过无数如诗如画的地方，而回忆时只记得路上的一坨狗屎。

这其实不怪你，本能使然。但我们需要知道：动物靠本能生存，而人还需要对本能以外的能力的认识和了解，然后把握它。

重要的是，不因为自己害怕而逃避或抗拒。对我们有恶劣影响的创伤性事件就像身体上的脓疮，你可以不管，但是一碰就会疼，并且将伴随一生；而如果切除，虽然会痛，却是暂时的，而且可以一劳永逸，以后虽然会结疤，但不会再疼了。

我曾在美国最大的心理健康中心为来自 32 个国家的移民和难民治疗创伤，做过大量的"放下过去"的治疗；包括在汶川抗震救灾的三年，也帮助了很多失去父母、失去孩子、失去爱人的人。通过这么多的案例证明了——没有放不下的过去。

　　放不下过去，会像带着一个一直流着脓血的伤口生活，会影响着生活的方方面面，我真心希望每一个人都不要背负着创伤生活，不要让一个个创伤性事件像乌云一样笼罩自己的一生。

所有的不满后面，都有一个你认为的应该

所有不满的后面，都有一个你认为的应该。"应该"是痛苦之源。没有人会完全按照你的标准行动。

有一种深渊叫"应该"。如果仅仅因为对方是你的父母、孩子、姐妹兄弟、叔舅姨姑、朋友、爱人，你就认为他们应该为你做什么，就必须对你负责任，因为他们没有满足你的期望，就得背负理所当然的谴责，也就是所有和你有关系的人，就自然而然地欠了你一生还不清也说不清的债务一样。

我们每一个人，无论对方是谁，得到过帮助就应该学会感恩戴德，没得到帮助，理所应当自己担当，没有人欠你。

当现实和你的预期不同时，先别急着抱怨，而是怀着好奇，问为什么？然后再去改变可以改变的，接受不能改变的。这样长期坚持下去，就不会经常跟自己过不去，跟别人过不去了。

如果在一段关系中，感到疲惫不堪，这关系一定有了问题。而

且问题是：你用了太多的时间对抗、逃避、纠结；你想了太多的应该、不应该、公平、不公平、谁对谁错；你用了太多的精力想让对方按你的标准和方式说话、做事。但事实上，每个人骨子里都希望随心所欲，所以人与人之间会有矛盾，而健康的关系是在自律和任性之间找到平衡。

没有人喜欢被说教，没有人喜欢被控制

没有人喜欢被说教，没有人喜欢被控制。因为当我们想要改变对方时，无论出发点多么好，道理多么正确，其实都传递出了一种气息：我不喜欢你现在的样子，你应该变成另外一个样子。而当我们放下所有的要求、控制、评价，只是单纯观察对方当下的样子，关注他当下的感受，并愿意和这个真实的人在一起，这样才是真正的陪伴。可我们经常的做法是，只要自己认为好的，就要强迫别人按自己的意愿去做；或是违背他人的意愿，以爱之名做伤害 Ta 的事。例如，在北京 5 月份的天气里，妈妈觉得天冷，就让孩子穿羽绒服，但是孩子不想穿，妈妈坚持要他穿，孩子去学校后，同学问："这么热的天，你竟然穿羽绒服？"孩子回答道："有一种冷叫作'你妈觉得你冷'。"生活中还有一种饿叫作"你妈觉得你饿"，以此类推，还有"你爸觉得……老婆觉得……爷爷奶奶觉得……"

殊不知，最深厚的爱是尊重对方的意愿。最大的伤害是违背对

方的意愿。

　　人，其实真正听的道理是自己的道理。在任何关系中，我们永远应该要求的是自己，而不是他人。对于他人，我们可以邀请、请求，但最有效的还是通过要求自己、改变自己从而去影响他人。如果一味地对他人提出要求，那就只会出现一个结果：你会常常失望和痛苦。

每个坏情绪后面都藏着爱的呼喊

每一个愤怒、悲伤、恐惧的情绪后面，都是感到缺乏安全，没有得到肯定、认可、理解和关爱的呼喊；每一个当下的行为和状态，都是过去的延长或冰山一角。

有很多能干又漂亮的职业女性，她们在职场上是常胜将军，在家里也常是女王，总希望老公、孩子、婆婆都要听从自己的指挥，有的甚至为老公做好了生活进步、事业提升的具体计划，达成时间期限。结果是：老公不愿意回家，孩子不愿意亲近妈妈——因为被管制又无处藏身。和婆婆自然是硝烟四起，落得为妻不贤，为母不慈，为媳不孝。所以心里非常憋屈，说起来义愤难平，眼泪汪汪，心中充满迷茫：该做的我都做了，不该做的我也做了，只不过是脸拉得长点儿，说话难听些，可我的心是好的，我不都是为他们好，为这个家好吗？怎么他们就那么不知好歹？不能看到我的一番苦心?!

因为你觉得自己的好心没人看到，还被人误解，吃力不讨好，当然会感到委屈，因为，所有人的行为处事，经常都达不到你的标准，你自然会经常烦恼。

在这种环境的循环往复中，你会看什么都越来越不顺眼，无名之火频频升起。

究竟是什么引爆了你的情绪

经常引爆我们情绪的有三个引爆点：（1）认可与被认可；（2）控制与被控制；（3）赢和输。把控情绪的第一步是了解自己的情绪，你在什么情况下喜，什么情况下怒，什么情况下焦虑，又在什么情况下压抑难过？下面我们通过一个练习来看看你的情绪引爆点到底是什么。

练习

请拿出一张纸来，回想十件让你生气愤怒、悲伤难过、恐惧害怕的事情，然后写下来。那是一个什么季节，在什么地方，什么场景，对方说了什么，做了什么？你说了什么，又做了什么？在这些具体场景中，是什么让你愤怒、悲伤、恐惧？看看经常引爆自己情绪的原因是什么？

有的人是当感到自己被控制或失控的时候，有的人是当感到不被认可的时候，有的人是当感到不能胜过别人的时候……每一个当下的情绪，都是过去的延长或冰山一角。人会被情绪牵动，从而冲动、无所顾忌，所以有"一失足成千古恨"之说。把握了情绪，就把握了自己命运的走向。

当情绪来袭时，该怎么办

如果我们对自己的情绪不是后知后觉，而是学会当知当觉，就不会在情绪中伤害自己，伤害他人，使得自己没有回头的可能。

当情绪来袭时，可以做以下的尝试。

Step 1

停下。停止与人与己的对抗行为。离开产生情绪的现场，如果当时的状况不允许离开现场的话，那么选择闭上眼睛或眼睛盯住其他的物体上，使思想回到自己本身。

Step 2

呼吸。找在一个安静的地方深呼吸，特别是呼气的时间长一些，做十次深呼吸后，看看自己的情绪是否有所平息，如果仍然激动，就继续呼吸，直到自己平静下来。这里用呼吸法平复情绪。

Step 3

观察。我们所有的情绪，都是由身体承载的。不同的人感受不同。有的人是头部，有的人是喉咙，有的人是胸部，有的人是心脏，有的人是胃部。所以，当有情绪时，感受一下自己身体的哪个部位最不舒服。

Step 4

安抚。把手放在身体不舒服的地方，把注意力集中在那个地方，把温暖的呼吸带到你身体不舒服的地方，随着每一次的吸气，带入温暖；随着每一次的呼气，呼出身体的不适，直到身体慢慢变软，不舒服越来越少。

Step 5

与情绪对话。尝试和自己的情绪对话。看看究竟为什么有这样的情绪？不与自己不舒服的情绪对抗，也不逃避，接纳它的存在。一般来说，我们的情绪和外面的人、事、物没太大的关系，只是自己的旧伤被触发了而已。

Step 6

应对。当情绪平定之后，闭上眼睛，想象一位你相信的智者就在眼前，与他对话，问问这件事，你如何应对是智慧的选择。你会得到答案，来自智者的答案，一定是利人利己的方法。

每个愤怒、悲伤、恐惧的情绪后面，都是对爱的呼喊。

所以，亲爱的，不管你因为什么心绪不宁，一定要记得，不要用发泄和攻击他人的方式表达，大多数的情绪与没有感到被爱、被尊重、被认可有关，攻击和发泄会使你得到爱、尊重和认可的机会越来越少，周围的人也会越来越少，最后，只剩孤独的自己。一个人成熟的标志是能够不带情绪地表达需求和愿望。当需求和愿望没有被满足时，不抱怨、不攻击、不逃避，用利人利己的方法面对和满足自己的需求。

少有人知道的亲密关系真相

第三章

Chap

亲密关系四重奏：朋友、情人、父母、孩子

"从现在开始，我只疼你一个，宠你，不会骗你，答应你的每一件事情，我都会做得到，对你讲的每一句话，都是真话，不欺负你，不骂你，相信你，有人欺负你，我会在第一时间来帮你，你开心的时候，我会陪着你开心，你不开心，我也会哄着你开心，永远觉得你最漂亮，做梦都会梦见你，在我的心里，只有你！"

电影《河东狮吼》里的这段经典台词，曾让多少女人如痴如醉，影片中两人浓情蜜意，可是后来还是背叛分离。

在亲密关系中，你是否也有过这样的经历与困惑？为什么爱着爱着就不爱了？为什么他没有想象中那么爱我？为什么他越来越懒得懂我，越来越远离我的心？

有一个叫小园的可爱姑娘，与男朋友小海初相识时，两人非常甜蜜，小海对小园特别疼爱，两人每天腻在一起。如同所有的女孩一样，小园希望拥有他源源不断的照顾、呵护和疼爱，希望"你的

眼里只有我，你的心里也只有我。在我生病时能够第一时间出现在我的身旁，下雨时能够及时地出现在公司的门口并送上一把伞，在我伤心难过的时候能够安慰我，每逢节日的时候，能够给我一个大大的惊喜……"

刚开始时，小海会尽力满足小园的各种要求，可是，渐渐地，随着期望加码升级，小海渐渐感到力不从心，疲于应对，开始借故工作忙常常避开。小园心想："为了我，这点儿事情也做不到，肯定他不够爱我。"

一次次的试探换来的是一次次的失望。质问、抱怨、争吵，分手，和好，纠缠，两人都身心疲惫，关系越来越疏离，小园在无数个深夜流下伤心的眼泪，做着一次次关于他离开的噩梦，她怎么也想不通，为什么当初那么相爱，却走到今天这一步。

为什么小园和小海如此相爱，却在亲密关系中越来越感到缺少甜美，甚至彼此远离？争吵、冷漠、愤怒都在诉说和提醒着什么？

难以亲密？因为你定错了角色

在亲密关系中，有四种角色：朋友、情人、孩子和父母。

朋友角色：彼此分享喜、怒、哀、乐，互相帮助、平等独立；

情人角色：关心、爱护，充满温情体贴和浪漫欢愉；

孩子角色：总是希望得到保护和照顾，呵护和宠爱；

父母角色：指责、命令、批评对方，希望 Ta 听我的。

这四种角色，你扮演了哪一种呢？

其实，任何一种角色本身都无可厚非，但一定要掌握好各自的平衡。一般来讲，一种健康的亲密关系中，朋友的比重最大，然后是情人，最后是父母和孩子。

做彼此的朋友，分享对生活的态度和想法、梦想和希望、错误与恐惧，能呈现彼此的脆弱与孤独，无论在何种境遇都像朋友一样支持理解对方，心心相印，这样就能保持持久而温暖的亲密关系。

恋人和伴侣之间的友谊是维持亲密关系的桥梁。但是我们大多数的亲密关系走入的误区是：要么把自己变成父母，要么变成孩子。

充当对方的父母，就会有要求，希望对方按照自己的标准、意愿和要求说话做事，做不到就会指责、抱怨、评判、批评。

把自己变成孩子的人，当自己的需求、意愿和愿望没有得到满足时，发脾气，不顾后果地发泄，无理取闹。

小园在探索和小海的关系时，发现原来自己"孩子"的角色占了80%，当她的需求得到满足后，觉得自己是被爱的，是安全的，会感到甜蜜；而一旦需求没有得到满足，她便开始怀疑、试探、纠缠，这就像孩子吃糖，得到后非常开心，没有吃到就又哭又闹，这对亲密关系伤害很大。

后来，我让小园回忆她与小海之间最温暖的十件事，她写道：

他会在过马路时一直牵着我的手；

我一回家就给我一个大大的拥抱；

在我无理取闹时，微笑着调侃我；

我无聊时，陪我天南地北地聊；

闹矛盾时，总是先道歉；

我不小心删掉他手机中的重要文件，他没有责怪我一句话；

天气凉了，他会把衣服脱下来给我穿；

我的手磕疼了，他会特别心疼；

开玩笑戳到他的眼睛，他却笑笑说"没事"；

我故意在朋友面前让他难堪，他却说我是最合适他的人……

写完后，她恍然发现，原来小海一直爱着她，不过是以小海自己的爱的方式。

其实，亲密关系被卡壳的原因，往往是因为我们感受爱的方式很狭隘，我们总是按照自己的标准和方法来爱，也用这种方式来衡量对方的爱，这也没错，但关键是自以为这就是丈量爱与不爱的唯一标准，忽略了表达爱的方式和层面是多种多样的，不是只有你的版本。当你一遍遍抱怨、指责对方看不见你、听不到你、不够爱你的时候，你是否可以先停下来问问自己，是否看见了对方？听到了对方？理解对方的每一个动作背后的用意与需求？

小园为什么会和小海出现问题？因为她在这种关系中，主要是做了不断索取、经常哭闹的小孩，当需求得不到满足时，当哭闹没有效果时，又变成了指责、批评的父母的角色。在小海累了困了的时候，只要她不困就会缠着人家说话。当自己忙起来的时候，小海回家，她头都不抬。她想要的是"招之即来，挥之即去"的关系。

在他们的关系中，随着热恋期温度的下降，"情人""好朋友"的部分越来越少，当然会出问题。和谐的亲密关系需要"父母、孩子、朋友和情人"四个角色的平衡，而且应该以"朋友"和"情人"为主要角色，"父母"和"孩子"尽可能少。

真正的爱不是高利贷

生活中，很多女孩都如小园一样，总是期待有个人爱自己，却不知道，当你等着别人给你、靠别人给你、要别人给你时，早就把人吓跑了，现在不跑，将来也会跑。

当你说"我把全部的爱都给了对方"时，恰恰证明你给的不是爱，是负担，是绑架，是"化了装"的索取。所以你给得越多，对方逃离得越快，因为 Ta 知道，接受的是高利贷。

我们常常以爱的名义去索取，要不到就觉得受伤，就去指责。一个不懂得爱自己的人，不可能给予别人真正的爱。自己就是空的，没有真正的爱可以给他人。如果你为了别人牺牲自己，爱别人超过爱自己，其实是一种内心恐惧、没有自我价值感的自欺欺人的做法。如果你真的像你说的一样，得不到爱的回馈，你就不会伤心、愤怒，真正的爱是没有对回报的期待，所以不会伤心怨恨。其实，没有人愿意别人为自己牺牲，特别是"被欠债"，在关系中，没有平等的给予，也就不可能有真正的爱。

所以，收起你的牺牲，在来得及的时候，了解自己，爱上自己，成为爱自己的人，不是依赖爱人，而是与爱人分享，如是才会有爱的自由和甜美。

爱有五个密码，别把它弄成乱码

有一个故事，说的是一个年轻人特别爱一个女孩子，但他收入不是很高，他很想表达自己的真心，于是他用了好几年的时间攒了五六万块钱，然后在向她求婚的时候，用全部的积蓄给这个女孩买了一条钻石项链。大家可以试问一下自己，如果有一个人这样对你，你会有什么样的感受？

我经常在我的课堂上问我的学生，对同样的故事大家的反应非常不同。A 觉得这个男孩太败家，没有钱还买那么贵的项链，不会理财，将来跟他过会越过越穷的；B 觉得非常感动，觉得自己对他如此重要，"送我如此珍贵的礼物——用全部积蓄买的项链"。同样的表达，一个人会嗤之以鼻，而另一个人却觉得无比幸福感动。

还有一对夫妻，男的非常爱他的太太，很想给她一个惊喜，自己悄悄地买了房子，花很多精力装修好了，在结婚纪念日当天送给太太一把钥匙，告诉她，这是他给她准备的礼物。

我问你，如果你的爱人这样做了，你会有什么感受？

常见的反应：感动激动；非常生气。

这对来找我的夫妻，妻子接过老公给的新房钥匙，直接就扔垃圾桶了，而且指着她老公的鼻子说："你算老几？把所有的决定都做了，你知道我喜欢什么颜色的卧室、厨房吗？你知道我想用什么样的窗帘？你知道我喜欢什么样的布局吗？这个房子里没有任何一样东西是我选的，你自己去住吧！"老公满脸的错愕、不解和委屈。

夫妻关系中这种南辕北辙、吃力不讨好的事情比比皆是。再举一个例子，一位先生来咨询，说他在亲密关系中感到很难过。比如每天他下班回到家以后，第一件事就是把手里的东西放下、外套脱掉，然后给太太一个拥抱，而他太太这时候总会说："一边儿去，干点儿正经的，赶快把饭做了，把地板拖了，把院子整理了。"我相信正在读这本书的你，也可能会非常渴望有这样一个男友或丈夫，也许觉得"要是我有这样的丈夫该多好"。

我见过另一对夫妻，男的是做业务的，特别忙碌，经常出差。他太太平时吃饭不是太注意，经常随意对付。他怕爱人吃坏身体，很心疼，所以他每次回来第一件事就是把东西放下冲进超市，然后赶快进入厨房，把太太喜欢吃的饭菜做好，出差几天就准备几天的饭菜，放到冰箱里。

也许你看到这个故事非常感动，希望自己也能嫁给这样一个"暖男"，但她的太太毫不领情。实际上，她很反感，甚至很生气。

她说："他出差时，我看不到他，回了家还是看不到他，不是去超市，就是在厨房，吃顿饭第二天又走了，觉得自己好像没有老公一样。"

她说："我不在意吃什么，在哪儿吃，或者不吃都行，我这么大的人，还能饿着吗？我就想他陪着我一起聊聊天，看看电影，或散散步。和他说过多少遍了，但他就是听不到，他觉得吃不好饭，身体就会不好。"

在这些故事当中，我们看到了很多爱的错位，这些错位每天都在发生，使本来可以彼此温暖、感受甜美的生活变成了纷争和不满，使彼此远离。

生活中有太多这样辛苦的男人和女人，用自己的方法努力去爱，但因为没有破解对方爱的密码，结果接收到的都成了乱码。有一位妻子，每当老公做好早饭以后她就说，"老公，别人家一天的幸福时刻是从阳光开始的，我们家的幸福是从你的爱心早餐开始的。"十几年来她在家只做一件事，就是赞美和鼓励她的老公，而所有的家务活都是她老公干，老公还觉得很幸福，因为他感受爱的密码就是鼓励和赞赏。当妻子把这部分给足，他就感到被爱了。所以，不是每个女人都需要把自己累个半死做家务，才能得到爱。有时候，只需要动动嘴就够了，动嘴是说好听的话。很多人把自己累趴下，然后指责抱怨，结果功劳被一笔勾销。

只有用对方能感受到的方式，爱才能产生暖流，否则就是"电流"。

爱的密码分为五种

我女儿五岁多的时候，我们一起看一部电影，她说："妈妈，他俩要好了。"当时我很惊讶，这么点儿大的孩子看电影，居然能看出男女主人公要恋爱了，她怎么知道的？其实，我们不管看哪国的影片，不管是讲什么语言，是什么年代、什么国家、什么民族、哪种肤色的人之间的故事，我们在感受人物的感情时，根本不受语言、文化和时代的限制，连孩子都能在主人公还没坠入爱河之前，看出他们要谈恋爱了。

世界上有70多亿人，有各种不同的语言文化，但看懂外国片里的爱情故事毫无困难。这是为什么呢？因为人类感受爱和表达爱的方式基本相同，所以我们才能够识别，能够跨越种族、跨越文化、跨越语言、地域的障碍，清晰地看到人和人之间爱的心路历程。

美国心理学家 Gary Chapman（盖瑞·查普曼）发现，人有五种爱的密码：

（1）肯定赞美；（2）彼此相伴；（3）帮助做事；（4）赠送礼物；（5）身体接触。

给对了就感到被爱，给错了再多也没用。知己知彼，才能让爱情保鲜。

你的爱的密码是什么？对方的是什么？

每一个人对于爱的感受基本都来源于这五类，如果你能都做到当然最好，但排在第一位的极其重要，如果这一点没有给到，其他给什么都是无效的，就像上文中的很多例子。记得一个女人嫁了一个亿万富翁，先生说："我非常爱她，每个月都会给她的账户里存几十万元。"妻子说："我不要这么多钱，宁愿用钱来换你陪我的时间。"当一个人需要你的陪伴，给钱是没有用的。

那如何了解自己和对方的爱的密码呢？非常简单，方法如下：

（1）首先列举出十个你感到非常幸福、被爱的场景；

（2）对照五个密码，排出第一、第二、第三、第四、第五的顺序；

（3）然后问对方："我们相识这么多年，在我们相处之中我做的什么事情或说的什么话让你觉得感动和幸福？"

也列出十项来，分类排序。这样我们就可以知道彼此需要什么，用对方喜欢的方式去爱。如果你知道他爱你的方式是为你做事情，而你需要的是赞美和肯定，你也要告诉对方，你最需要的方式是赞美和肯定，但同时也要学会用一双能够透视的眼睛去发现他表达爱的方式，多开发一下自己感受爱的通道，不是只用自己习惯的方式去感受，感受不到就断定是不爱。你要提醒自己，他爱你的方式有好多种，可能不是你最喜欢的那一种，但那也是爱的一种。

爱是生命，关系有四季

很多人对爱的认知都是通过电影、电视剧和文学故事勾勒出来的，感觉爱情大致就是：在一个春花烂漫的时节相遇，然后在黄昏时刻漫步在花园、海滩或是湖边，接着在一个非常优美的地方喝着咖啡聊着天，或者在烛光中共进晚餐……

媒体和外界为我们描绘的亲密关系一直就是如此，而我们也逐渐信以为真，认为爱就是你一抬眼，对方就知道你在想什么，你想要什么，他会特别懂你，与你心有灵犀，心心相印……很多人都抱着这样一个幻梦，天真地以为，这就是爱的全部。

当你走入婚姻，却发现那些幻梦中的美好取而代之成了"他的脚很臭，也很懒，不会做饭，也不帮忙洗碗，厕所堵了也不会疏通，电灯坏了也不会修，他居然那么在乎他妈、他家的亲戚、他的朋友，似乎远远地超过了对你的在乎……"矛盾就这样开始一个接着一个地产生。于是，我们就开始对爱产生怀疑，认为这段爱已经过去，

Chapter 3
少有人知道的亲密关系真相

已离我们远去。殊不知，其实在情感的世界里，爱是生命，关系也有四季，如生命的长河一般周而复始。

科学研究指出，当我们处在青春萌动、彼此相互吸引的这个阶段，我们的身体里就会分泌荷尔蒙，使我们觉得特别愿意靠近对方。而那个时候我们就像吃了迷幻药一样，看什么东西都觉得五彩缤纷，好似天特别蓝，树也特别绿，人也特别好、特别帅、特别美。这样的阶段大约会持续半年，最多不会超过一年。

一年之后，爱情开始进入下一个阶段。相爱的两个人，其实是两个独立的个体，是在两种完全不同的生活环境和背景下长大的。即便你们的家庭出身相似，你们的爸爸妈妈都是知识分子，你们也都住在同一个城市，可到头来彼此生活的环境仍然是不一样的。所以当面对这些不一样的时候，肯定会产生很多很多的矛盾。这些矛盾可能就是生活习惯、观念或是思维方式、行为方式的不同所致。有矛盾，就会有痛苦，而矛盾和痛苦是每一段亲密关系所必然要经历的过程。

举个例子，比如自行车的车胎要是破了，得贴一块新的胶皮，才能堵住扎坏的地方。但是在贴之前，先要用锉分别在车胎破的地方和准备补上去的胶皮的结合面用力地蹭，直到蹭出了新的结合面，再黏合在一起时，才会非常牢固。

其实亲密关系也是如此，等我们把彼此身上不合适的部分蹭完了以后，才能够真的合在一起，才能真的心有灵犀。这种不合适就是我们在关系中经历的各种各样、大大小小的事情和矛盾，每一天都在打磨着彼此旧有的思维模式、行为模式，使彼此越来越近。所以，心有灵犀不是一见钟情的结果，是千万次打磨的结果，而打磨是痛苦的、艰难的。正如天下美丽的宝石都是打磨的结果一样，经过打磨的爱情，才有可能绚丽多彩。

亲密关系的三大考验

人人都想要一种不管经历什么风雨都会不离不弃、永远相伴相依的亲密关系，但在亲密关系中，最大的风雨是什么？你真的能够禁受这些风雨吗？我认为亲密关系中的"三大风雨"，或者说三大考验如下：

第一个，移情别恋，爱上别人；

第二个，破产；

第三个，生重病。

没有经历过这三大考验，就谈不上你的亲密关系真正经历过什么风雨。

尤其是当代的婚姻，更会越来越多地面临这样的威胁和挑战。是婚姻就要经历风雪，有的时候甚至是狂风暴雨，只有经历过这狂风暴雨般的三个挑战，才能说你的关系经受得住考验。白头偕老不是一直风花雪月就可以抵达，一定有各种各样的历练，在历练中，不忘初心，一直坚守，才能"执子之手，与子偕老"，所以关系是一个生命。

严格地讲，维持不到三年的关系都算不上爱，最多是浪漫和激情。

激情可能燃烧得很旺，但不可能持久。

怎么知道你的亲密关系能够经受住这三大考验？那就问自己：

如果你有外遇，希望爱人怎么对待你？

如果你一无所有，希望爱人怎么对待你？

如果你生重大疾病，希望爱人怎么对待你？

用你希望爱人在这些时刻对待你的方式对待爱人，相信你离拥有温暖而持久的亲密关系就不会很远。

亲密关系也有春夏秋冬

大自然的四季，春生夏长，秋收冬藏。春天要播种，夏天生长，秋天开始收获，而冬天非常非常漫长，雨雪把病菌害虫冻死，为来年万物生长蓄积和储备，第二年又开始了循环往复的过程。亲密关系也是如此，爱是生命，也有四季。

春天：亲密关系的浪漫期

夏天：亲密关系的成长期

秋天：亲密关系的收获期

冬天：亲密关系的矛盾期

我们很多人对关系的定位就是：春暖花开的浪漫是爱，夏天的成长是爱，秋天的果实是爱，到了冬天就不是爱！

其实，如果发现对方有外遇了，或者是和亲密爱人之间有激烈冲突的时候，这是亲密关系的冬天，正是一段感情升华的开始，矛盾恰好是走进彼此内心的契机、亲密关系升级的阶梯，度过严冬，就会迎来春暖花开。

当然，这样的四季，并不是总按照次序循环往复的。可能因为一件事情，就会出现一个轮回，四季就过了，也可能有的是几年一个轮回，也可能几十年。但无论是以怎样的方式轮回，当我们知道关系本身也有春夏秋冬的时候，期待就会不一样。

我们的大部分痛苦是因为预期和现实之间的距离所引起的，当你知道这个规律后，就算非常喜欢夏天，也能接受一定要经历秋天、冬天、春天之后才能够到达夏天。

有了这样的了解，我们对亲密关系就不会有不切实际的期待和不合实际的想法，而是知道在不同的季节我们需要做什么样的事情。每个季节遇见的、需要去做的、用的方法，如何来维护，都是不同的。

就像我们种一棵葡萄树一样，到了春天你就要把它种下去；然后要不断地浇灌和施肥，给它阳光，给它剪枝，抓虫子；等到秋天，收获葡萄；到冬天就把它埋起来，你得给它温暖，要不就冻死了，第二年再接着长……

即便是一棵葡萄树，一年四季我们对待它的方法也是不一样的，关系更是如此。每一个阶段我们只要有这样的了解和信念，像对待生命一样对待关系，就不会有那么多的错觉，也不会反复地纠结和轻易放弃，说分手就分手，说再见就再见。

我们每一个人都要有这样一个定位，把关系作为一个生命，去好好地经营、滋养和建立！

亲密关系决定生死、健康和幸福

我们曾经在微博上做过一个调查：人的一生当中，哪些关系对自己幸福的影响最大？超过 50% 的人认为，与爱人的关系对一生的幸福影响最大。

究竟怎样才能拥有温暖而持久的亲密关系？探讨这个问题之前，我们可以一起来做一做下面的练习：

（1）找一个安静的地方，伴随着轻柔的音乐把眼睛闭起来，让自己的心渐渐平静下来。

（2）想象一下，如果找到亲密爱人，你甜蜜幸福的一天是什么样子，想得越详细越好，一定要充满细节，有具体场景。

（3）拿出纸和笔，把这一切写下来。

（4）再闭目梳理：这样的生活，什么样的爱人能和你共同创建？

（5）写完这一切，你对自己、对想要的爱人以及想要的生活又有了什么样的发现和感受？

有太多人，少年时为了升学起早贪黑地拼命学习，青壮年时把大部分精力和时间用来打拼事业。但是，少有人花时间和精力学习如何经营亲密关系，亲密关系的开始和维护的模板基本来源于父母和看过的电影、电视剧、小说、报纸，基本是自生自灭的状态。父母关系好的，孩子就很有运气，父母关系不好的，就变成了一代又一代的悲痛纠结的翻版。

拿电影、电视、小说中的主人公来与自己作比较的生活，一定会有许多的抱怨和不满。媒体呈现的多半是夸大和过度渲染了的美好，就像用"美图秀秀"修改过的照片。

人生最难的事不是得了什么学位，办了什么企业，当了什么官，赚了多少钱……人生最难的事是：能够经营一种持久温暖的亲密关系。比尔·盖茨和巴菲特在总结他们一生的最大成就时，盖茨的回答不是创造了微软，巴菲特的回答也不是他是股神，他们一致的回答都是：选对了爱人。

"家和万事兴。"这不仅是一句古老的谚语，而且是生活智慧而真实的写照。

家和的根本是亲密关系，倘若没有一个持久相伴、同甘共苦、不离不弃的爱人，那么无论你取得什么成就，静下来时，内心深处都会被悲哀和孤苦的情绪所笼罩。

既然决定人生幸福的核心是亲密关系，那么就需要我们专门花时间去探索、研究、提高。如果我们对待亲密关系真的像赚钱一样用心、用力的话，幸福就会越来越近。在哪儿耕耘，才能在哪儿收获，播什么种才能摘什么瓜。

在我们的课堂上，多少索然无味、濒临离婚的夫妻，通过学习，找回了初恋的甜美。

生命中，没有无法改善的关系，只有没有用心经营的关系。

珍惜当下，因为亲密关系只存在于当下

亲密关系中大事不多，小事很多。人与人之间的亲密关系，往

往体现在看似微不足道的小事中。可能就是，回到家，看到自己喜欢的饭菜热腾腾的已准备好，就等你脱了外衣，换上舒适的衣服和鞋子就餐了。也可能是寒冷的夜晚，回到家，爱人把你的双手紧紧地捂在他温暖的胸膛。所以，每个相处的瞬间，在每件小事上用心，每个瞬间的温暖积累在一起便是亲密关系的真实意义所在。

在亲密关系中，我们总是期待着浪漫、温情、爱和感恩，许多人认为这就是亲密关系的全部。其实，在亲密关系中，怨恨、愤怒、担忧、恐惧、不满、抱怨、嫉妒、厌烦也是亲密关系的必然部分。我们常常因爱走到一起，因无力化解冲突、矛盾和各种负面情绪而渐行渐远，甚至反目成仇、分道扬镳。

当和一个人近了就会有各种情绪，真实、丰盈的亲密关系一定包含着各种情绪，不要以为只有甜美，只是积极的感受与负面的感受比例至少要为 3:2，才会保持基本的平衡，想要甜美，就要努力创造彼此在一起的温馨感受，学会化解冲突和矛盾。

人人都希望拥有亲密关系，也都希望爱情不随时间的流逝而淡漠。

关系没有过去和未来，只有当下。这一刻好，就会使彼此亲密靠近；这一刻不好，就会使彼此疏离。所以不要说过去如何如何，曾经我做了什么，曾经你答应了什么，承诺了什么，用心把握这一刻，过去的，无论你为对方做过什么，都一笔勾销，全部忘记。否则，你就是记账要债的。但别人为你做过的，要铭记在心，常常提起。如此，关系自然亲密。

世上没有白来的幸福

很多人常常嘴硬，动不动就说："谁怕谁啊""还怕再找不到，分手！离婚！"

其实，真的分了手，或离了婚，你不过还是在循环自己过去的生活，因为你没有驾驭亲密关系的能力，正如你在北京不会游泳，到了广州也不会游泳。这不是换游泳池的问题，而是需要你学会如何游泳，然而现实是，很多人都以为北京不行，广州也许能行。

带着这样的想法，幸福只会离你越来越远，世上没有白来的幸福，每个人的情感关系的维持都需要付出心血的。

亲密关系中，你确定这个人不吸毒、不赌博、不暴力，心地善良，吃苦耐劳，一般就不会有太大的问题，接下来，就好好待他。人都会被善和爱感染、打动的，怎么开始不是很重要，重要的是如何相守过好每一天。

如果以这样的态度去经营亲密关系，人生必然是另一番景象。所有的收获一定来自耕耘，很少有人不劳而获。没有付出的得到，早晚会如数偿还。

许多女性都患有一种病——"灰姑娘综合征"

电影、电视剧和文学作品中，大多把爱情演绎成一场追随巅峰体验的旅行。很多女性因此中毒，以文学作品和艺术创作中的男主角作为爱人的标准，以电影、电视剧中的生活场景衡量自己平凡的生活，所以感到各种不如意。

艺术之所以是艺术，因为它是超出生活的想象和放大，以它为标准来匹配真爱，不失望都难。

所以在爱情世界里，对女性来说，最悲催的就是相信灰姑娘的故事并想成为白雪公主；对男性来说，最愚昧的就是想青蛙变王子。

实际上，这样的女性一生都在找爸爸，这样的男性一生都在找妈妈，所以他们和谁相处都不会长久。

请记住，人都有依懒性，男女无别，都有同样的心境和需求，只是别让自己编织的美梦毁了自己。

现实生活中不论是工作、学业还是亲密关系，从来离不开一个自然规律：一份耕耘，一份收获。有的时候，耕耘不一定有收获，但是你不耕耘就一定没有收获。当你看到两个白发苍苍、相濡以沫的老人手挽着手，那么恩爱幸福，是因为他们在自己婚姻的这块田地上辛苦地耕耘过。

生命中的一切都是耕耘的结果，你以为的一见钟情、一步到位，没有耕耘也会是浮云。

灰姑娘情结，就是寄生虫和乞丐的情结

现在许多女人认为，找老公最好找一个有房、有钱又有地位的男人，幻想最好能够嫁入豪门，以为这样就可以幸福，至少用不着那么辛苦。殊不知，嫁入的往往是"嚎门"，而不是豪门。为躲避辛苦而忍受痛苦，以寄生和要饭的心态去寻求伴侣，这样的"灰姑娘情结"在我看来，就是寄生虫和乞丐的情结！即使实现了，后果也可想而知。

找成功人士，嫁豪门，有这样的心理都是带着寄生虫和乞丐的心态去定位自己的爱情、婚姻和家庭，什么都想要现成的，要人家有地位，又要有名声有钱，那你去干啥，白吃、白拿？

怀着寄生的心态对待你的婚姻，就会过寄生虫一样的生活，躲躲藏藏，不知道哪天就被清除了，没有同甘共苦、风雨同舟，怎么可能有刻骨铭心的爱？怎么可能有能够经历风雨的关系？

我知道每个人都想幸福，都想远离痛苦，都想日子过得容易。但如果这个世界上有谁能够满足这些需求，那个人绝对不是你寄予厚望的男人，而是你自己，是你自己的勤劳，你自己的努力，你自己的智慧、力量和爱。

温暖而持久的亲密关系也是酿造和耕耘的果实，相依相伴、不离不弃是共同面对、创造的结果！

你那么好，为什么没有男朋友

"我今年35岁，在大连一个外资公司做市场推广，我爱好广泛，性格温和，收入不菲，可是目前依然单身，正在找男朋友。从小父母关系不好，所以我以前没有特别大的憧憬，这两年慢慢才希望自己能够成家，但我身边的朋友90%是女性，真不知道如何才能找到适合我的另一半。"

这是"海蓝博士公益电台"直播中一位听众的叙述，我曾追问她，"你真的想成家吗？你确定你想成家吗？还是到了这个年龄，大家都有家了，你自己觉得也应该成一个家了？或者爸爸妈妈要求你成家？周围的人也觉得你该成家了？这个念头当中有多少是你自己真的想成家？有多少是因为外在因素觉得该成家了？"

这个姑娘描述的理想爱人，身材比较高大，一米八左右；还要看上去很温暖，比较踏实，跟他在一起特别舒服；同时也要顾家，有家庭责任感；性格开朗，积极热情，爱交朋友；不能特别安于现状，要有上进心，愿意学习和发展自己的事业；还要和她有相同的兴趣爱好和价值观，能够共同帮助双方的家人。比如说她家亲戚做生意遇到经济上的问题，作为家人，就应该全力给予支持。

听她讲到这里，我问她："亲爱的，什么叫温暖？什么叫踏实？什么叫有家庭责任感？什么叫有共同的价值观？什么叫给家里应有的支持？你要是有 10 个亲戚做生意都需要帮忙，你们怎么办？"她一时语塞。

我问她："你要是找到了你期望中的这个理想爱人，你理想中特别幸福的一天，从早晨起来要怎么过才算是挺幸福的一天？"

她设想的幸福的一天是这样的：早上起来，两人在一起吃早餐，白天忙各自的工作，互通一下电话，下班一起回家，要有能够在一起相互陪伴和交流的时间。

我接着说："你想要的幸福生活和你刚才描述的理想爱人有哪些是相符的，哪些是不相符的？你的幸福生活真的需要那样一个完美的爱人才能给予吗？你需要理想爱人具备那么多品质，在每天普通而实在的日子里能用上多少呢？"

谈话的最后，我发现，对于找什么样的对象，这个姑娘并没有一个确定的标准，只有一些模糊不清、朦朦胧胧的概念和愿望，和她想要的生活也没什么关系。即便将这些描述用作筛选的标准，她也不知道要找的人是谁。此外，她对理想爱人的期待和要求其实很多是自相矛盾的。

目标都不明确，那么就算这个人出现了，自己也是不知道的。这是她这么多年来一直没有找到合适的人的根本原因。

还有，你有没有想过，即便这个人出现了，他为什么会喜欢你，愿意与你为伴呢?

许多女人一生都在寻求理想爱人，但是，有哪一个男人既热情、积极、开朗又踏实、温暖，同时又高大、帅气、多金，还知你懂你、疼你惜你、让你容你、护你宠你;又或者，又有哪一个男人既有上进心、事业心，又顾家，伴你左右，还与你有共同的志趣、相同的价值观，随时都能给双方家里经济支持。请问，这样的人上哪儿找去?!真有这样完美的男人，不要说女人动心，连男人都想嫁给他!在爱情世界里，我们应该先自我审视一下:

我想要的真的是自己内心的需求吗?

我希望爱人身上具备那么多好的品质，对我每天过日子到底有多少意义?

当你想要帅的、事业有成、懂得关心体贴、临危不惧、可以依靠，最好是感情和经济都靠得住的男人，然后把自己托付给他，让他引领着你，和你白头偕老。你却不知道，许多男人听着这种描述就浑身打战，因为他们也有着同样的渴望，也想把自己"嫁"了。

幸福生活不需要完美的爱人来给予

曾记得，自己年轻时也非常希望找一个喜欢并能够背诵普希金和泰戈尔的诗词的人，身高要一米七六以上。最后，陪伴我三十多年的爱人，不但对普希金、泰戈尔没什么兴趣，身高连一米七都不到。相伴三十多年，我深切体会到，幸福生活不需要完美的爱人来给予。

记得网上流传过这样一段话：一部高档手机，70%的功能是没用的，一款高档轿车，70%的速度是多余的，一幢豪华别墅，70%的面积是空闲的。很多人选择爱人时，是不是70%的要求也是没用的？

记得有一名学员，当我让她写下理想的爱人是什么样时，她写了54条，当让她写下和理想的爱人度过一天美好的生活都需要爱人哪些品质、特点和能力时，她最后只列举了三条：身体健康；积极乐观；我难过的时候，他能抱抱我。

其实梦想什么、要求什么都不是问题，谁没有梦想？关键是你的梦想是否切合实际，是否可以实现，是否给你带来满足和幸福？当你用五十几条标准去衡量和筛选时，你很可能会错过真正适合你的人，会无视你身边的爱人。

仰望星空没有错，但要脚踏实地，不是脚踏陷阱。当你盯着没有的一切，又无法企及和改变时，梦想就变成了陷阱，让自己陷入了哀怨、不满、悲伤、愤怒、纠结和难过的陷阱。因为人的痛苦是梦想与现实不匹配的结果。

人在接纳、包容、尊重、体贴、自由和温暖中感受爱。身高、外貌、地位和财富可以锦上添花，但不是核心所在。许多人说："别人看来，我的爱人样样具备，我们非常般配，可我的内心没有感到丝毫的幸福，本末倒置，自然如此。"

亲爱的，你不是在给别人找爱人，你不是在找面子，没有里子，面子支撑不了多久。

人人都需要依靠，都需要被温暖、被支持，当你把你的期待、愿望都附加在别人身上时，总有一天，对方会不堪重负，落荒而逃。什么是真正的亲密？就是衣食住行在一起，在衣食住行中相互温暖、相互支持、相互陪伴。

我们要懂得，爱是相互的，疼惜是你疼我惜，容忍是先容先忍的结果，一切都是先有付出，再有结果，如是，爱人才会出现。

女孩跟爸爸相处的模式
奠定了跟男性相处的模式

"我今年 28 岁，来自苏州，每段感情随着关系的亲近，到了耳鬓厮磨、肌肤相亲时，我就会逃避，匆匆结束这段感情。"

随着小幂的叙述，我知道当小幂和男友两情相悦时，男友想进入性关系，小幂就害怕对方看到她的不好而离开她，所以每次她会自己先离开，给他留下一份美好，给自己留一些尊严，更重要的是不会受到"伤害"。于是，一段一段的恋情，一个一个爱她的人，就这样被她留在了过去。

那么，影响小幂做出这样的决定究竟是什么原因呢？是对性的恐惧吗？

其实，小幂恐惧的不是性，而是更进一步的亲密，小幂认为性是更亲密的接触，于是选择了逃避，每到这一步就自动停下。

每个人都渴望亲密、温暖，可小幂为何会害怕与人亲近呢？我进一步问道："在过去的生活中，你和其他男性的关系怎么样？尤其是跟爸爸的关系怎么样？"小幂说："父亲在外面开朗、风光，与人相处不错，回到家就像换了一个人，经常和妈妈吵架，甚至动手打妈妈。"父亲对她也经常横眉怒目、指责打骂，说到此处，小幂悲从中来，开始抽泣，她觉得在她的成长中，从来不知道父爱是什么。

女孩跟爸爸的相处模式奠定了她跟男性相处的模式，爸爸是她了解男性世界的窗口，她对男性的了解就是，离远了看像个人，离近了看像个魔。小幂跟爸爸从来没有真正亲近过，一旦走近，就不知不觉会产生恐惧感，因为多半时候，爸爸不是沉溺于自己的忙碌中，就是批评指责她，很少看到他的笑脸。

我对小幂说："你的核心问题，不是现在如何去恋爱的问题，而是你的内心有很多难过和恐惧，这些情绪搅扰着你，你就像戴着扭曲的眼镜看亲密关系，看与你亲近的男人，你心底一直有很深的恐惧，这种恐惧使你层层设防，垒起了铜墙铁壁，你无法知道自己究竟想要什么，也无法让任何人真正的靠近你，这种情绪使你跟他人之间形成一条不可逾越的鸿沟，你想跨也跨不过去！在爱的关系中，你想走近'爱'，却没有能力靠近'它'。所以，你首先需要梳理和爸爸的关系，了解自己恐惧的是什么，了解不是所有的男人都和爸爸一样，你也不再是那个无助的小姑娘，即便爸爸今天在你面前，你也可以以成人的身份面对他，而不是惶恐不安。"

那小幂心中积压的情绪又要如何释放呢？缺失的爱已然无法弥补，小幂又该怎么办呢？

在对小幂的情感进行梳理中，我引导她坦诚地表达自己，面对父亲，面对男朋友，说出自己的担忧和害怕。而小幂自己也发现，当她足够坦诚，对于自己的害怕和担忧不再遮掩，相对平静地去表达自己的想法时，就已经渐渐走近对方，也让彼此的关系变得更亲密。

其实，真正让我们恐惧的不是我们的不足，而是我们对自己的不足的对抗和害怕。

与小幂一样，很多人被过去的思维模式和行为模式所裹挟，像背着一个大包袱一样负重前行，今天过得悲苦，明天也荒废了。人不应该这样负重前行，如果你跟父母之间有难以跨越的鸿沟，也可以尝试自己去梳理，方法如下：

（1）在一个安静的环境中，深呼吸让自己安静下来，想象着那个你无法走近的人的面孔，设想他出现在眼前。

（2）盯着 Ta 的脸，不要让 Ta 的脸移开。告诉 Ta 你想说却从来没有说出口的话。穷尽所有，说出所有你想说的。记住：不是指责和抱怨，而是告诉 Ta 你的担忧和害怕，你希望 Ta 如何对待你。

（3）说完后，深呼吸三次，体会你此时的感受。

（4）然后，想象对方听完你所说的一切会有什么样的感受，Ta会对你说些什么。穷尽所有，说出 Ta 想对你说的话。

（5）深呼吸三次，再次感受听完 Ta 的话，你此时的内心感受。你觉得此时你们是更近了，还是更远了？

在我的引导下，小幂含泪跟父亲说出心里话，也感受到在父亲的诸多指责的背后也有一颗柔软的爱护女儿的心。放下怨恨，小幂觉得和爸爸的关系亲近了很多。她知道如何去坦诚地表达自己的担忧和脆弱，如何在脆弱中还能保持自我，亲近彼此。

有些过往自己可以梳理，有些则需要专业人员的帮助。一般来讲，超过一年的伤痛，做自我梳理是很难放下的，需要受过训练的人来帮助你梳理。

亲爱的，你是另一个小幂吗？人人都能拥有一段亲密而温暖的爱情，但每个人都有自己要修炼的功课。你跟这个人会这样相处，在与其他人的关系中也很可能重复着同样的模式。所以，你首先要学会放下过去，学会与人亲密沟通的能力，在亲密关系中就会少很多纠结和迷茫。

如果你不爱自己，
拯救过银河系也拯救不了你

每年情人节，总是有人没有恋人或是伴侣。没有谁能为你变出一个情人来。我们总是期待有个人爱自己，却不知真相是：如果你不爱自己，拯救过银河系也拯救不了你。做自己的情人，得先爱上自己！自己做自己的情人，一辈子有情人，不用等，不用盼，不用猜。

只有会做自己的情人的人，才能真正会做 Ta 的情人。否则，你会对对方有过度的期待和渴望，而这种期待和渴望会使你有打折的感觉，在情感的世界，很少有人对打折的东西有真正的尊重和热爱。

Tracy McMillan（特蕾西·麦克米伦）在 TED 的一次演讲《什么是最好的结婚对象》中说："最好的结婚对象其实是你自己！"Tracy 的母亲是性工作者，父亲大半生在监狱中度过，她 9 岁以前辗转在 23 个家庭寄养。她曾以为婚姻是她的依靠，希望靠男人来拯救自己。然而经过三次失败的婚姻后，她开始了深入的自我思考，最终她得出"你希望别人爱你，就先爱自己"的结论。

感情中所谓的绝处逢生，就是在一切依赖他人的希望落空后，找到那个一直被尘封的自己——那个有力量、有智慧的自己，并深深爱上自己。

人有两次诞生，第一次是从母亲的腹中来到世间，第二次就是能够在命运的各种变化起伏中学会了做自己的母亲，关爱自己。很多人很怕爱自己，因为怕担上自私的名头。但是，怕本身才是一种自私。和自私的人在一起，谁都会感到不悦，而和自爱的人在一起，都会觉得轻松愉快。

当你真的成了自己的情人，爱上了自己时，爱你的人也会蜂拥而至。当你等着别人给你爱、靠别人给你爱、要别人给你爱时，早就把人吓跑了，就算现在不跑，将来也会跑。

以前不知道，现在知道了，那么就从今天开始，用对待情人的情、意和行动来对待自己，你会发现不同的天地。如果你真的能够了解自己、接纳自己，就没有人能够伤害到你。

我经常独自漫步在自然中，踩着露珠，追逐霞光，与鹿群相会；也常常看草地上野花盛开，衬着灰蒙蒙的大地，选自己喜欢的颜色，采几枝给自己；夜里，常常看着满天的星斗、弯弯的月亮，听着夏日夜晚的蝉叫蛙鸣；或者看冬日的白雪，苍劲的山脉，常常与自己约会，沉浸在自然中，很美。

学会爱自己，滋养自己，关怀自己，做一个富足的女人或男人。

好好爱自己：放下怨恨，停止抱怨

很多时候，我们愤懑、抑郁和怨恨，原因只有三个字：放不下。放不下离开的人，放不下曾经的事，放不下自己的面子，放不下过去的时光，放不下成败，放不下荣辱……

历经岁月变迁、人海沉浮，我们才知道，唯有放下才会轻松，唯有放下才能自由，最先释怀的人最幸福。不管曾经经历过怎样的纠缠，有过怎样的过节，放下 Ta，原谅 Ta。

原谅他人不是便宜了 Ta，也不是饶恕了 Ta，而是因为你懂得如何爱自己，放过他人也是放过自己。

伤害是因为别人触碰到了那片我们自己都不能接受的脆弱和欠缺。当他人的认同对你来说无足轻重时，就不需要向他人证明自己。这样，你的内心自然会享受到真正的愉悦。

抱怨，是成人的哭闹，心理未断奶的症状。婴幼儿不会说话，就用哭闹的方式来表达需求，得到关注。成人成熟的标志是看能否不带情绪地表达自己的需求和愿望，当需求和愿望没有被满足时，能否独立自主地解决自己的问题。所以说抱怨是成年人心理上的不成熟，是婴幼儿时期哭闹的替代方式，希望以此获得别人的关注，指望着别人来解决自己的问题。

当我们带着不满、愤怒、怨恨、指责、恐惧、焦虑的情绪开始一天时，我们带给他人的是身体、情感和思想的垃圾、污垢和伤害。最重要的是：我们首先污染和伤害的是自己。

每个人都喜欢和充满力量和温暖的人在一起。每天问问自己：我今天带给这个世界的是温暖还是污染？记得每一天温柔而慈爱地对待自己。

可以试着让带着善意、平静、喜悦和爱的人进入你的心里，让所有带着嫉恨、不满、抱怨、争斗，针对你的人，像一阵风刮过一样，不留痕迹，你可以决定谁去谁留，如此，便能获得你想要的宁静与和谐。

婚外情是真爱还是自欺欺人

没有谁不想品尝炙热的激情，即便已步入婚姻，已为人母，已不再年轻。

激情可遇，但激情能持续多久？激情过后，你能承受得起由此带来的后果吗？

爱情离不开激情，但是，以为激情就是爱情的核心甚至是全部，这是当下很多人情感关系脆弱的重要原因。

小曼是个有名的设计师，对自己、对伴侣要求很高，她一向认为，独立自主赚钱花的女人才是"真女人"，也期待另一半是一个"真男人"：有钱、有地位、有能力、温柔浪漫，对自己悉心呵护。但到了而立之年，她依然没有遇到理想的他，于是嫁了一个事业平平、没钱、没地位，但对她温柔体贴，非常爱她的人。但在她的心里，一直期待着理想中的男人的出现。在工作中，她遇到了一位男士，有地位、有钱、有相貌，人又浪漫，虽然对方有家有室，也明确表示过，他不会离开结发之妻和自己的孩子。但小曼顾不了那么多，人生苦短，要为真爱来一次奋不顾身的努力。因为男方在外地，经常要苦苦等待一两个月才能够有一次激情约会，即便如此，小曼仍然非常沉醉，在见不到的日子里，可以用想象和憧憬弥补爱情的缺憾。

小曼告诉自己："我不是一般的小女人，也不是世俗的女人，要成天黏着爱人要陪伴，要花人家钱，要买东西。"用她的话说："我根本不在乎他是否给我买东西，我从来不让他在我身上花钱。"而且理直气壮地认为自己不是小三儿，因为她根本没有看上他的钱，甚至两个人一起旅行或去商场购物都是小曼埋单，她认为这才是真爱。"我之所以一分钱都不要，是想将来有一天面对他老婆时，可以毫不内疚地讲自己根本不是冲钱去的，我们之间是真爱。"

这场真爱中的男主人公始终坚守着"三不"原则——不花时间，不花心思，更不花钱财。小曼继续告诉自己："这才是真爱，我要让他知道，我什么都不图，只是真心实意地爱他。不像很多小三儿那样对男人另有所图，这样的爱难道不是真爱吗？"

可是，每个人的身体和心理感受是无法欺骗自己的，纵然大脑不断为自己强调"这就是真爱"的信号，但这种不平衡总有一天会失衡的，不知不觉中，心里会逐渐积怨。

小曼慢慢地发现，不管自己对自己说了什么，可是一两个月见面一次的狂欢，不能满足内心的孤独，男人的一毛不拔，也让她越来越不舒服，还有他慢慢的似乎来的次数越来越少，连每月一两次的见面也保证不了。她太需要握紧这份渐行渐远的爱了。于是她对男方说："我什么都可以不要，只是我太爱你了，我希望有一个我们爱的结晶。"在她心里，希望通过孩子拴住这份远离的爱。

上天还真的配合，她果真如愿以偿。

可当她怀孕以后，这个男人只来看过她两次，住院生孩子，他也说抽不出身，她只能孤单一人抱着孩子结账出院，尤其当别人问孩子的爸爸在哪儿时，她无言以对。她眼中的泪像断了线的珠子，她的想法可以骗自己，但她绞痛的心和打了结的胃，让她不得不对这份真爱开始质疑。

小曼仍然想一个男人可以不爱他的女人，但他一定会爱他的孩子。她开始频频打电话找他，而他变得越来越疏远，直到消失。孩子后来慢慢长大，也常常问她："别人都有爸爸，我的爸爸呢？"每当孩子问及，她都有万箭穿心之感，而在"真爱"的路上无法回头。

真爱很美，但真相很残酷。

错把一时的激情当成爱情的全部，这份账单，很多女性可能要用一生的幸福去还。

怎么知道一个男人到底爱不爱我

怎么知道一个男人爱不爱你？在感情的最开始，你不仅要凭感觉，还需要用脑子。若一个男人在你需要的时候不出现，该埋单时不埋单，从不带你见他的朋友，不见你的父母，也不让你见他的父母，你基本可以确定，在这个男人心中，你没有什么位置。

如果一个男人在你身上不花时间，不花精力，不花金钱，那就别再自以为是地幻想这份自欺欺人的真爱了。傻姑娘，你要可怜到什么地步，要缺爱缺到什么程度，才能去接受这样一份"爱"？还自认为是纯洁无瑕的真爱，别骗自己了。对男人来说，你或许只是他吃完主菜后的一块可有可无的甜品，存在于偶尔的茶余饭后，而此时飞蛾扑火的你若把这种感情当真，定会将你的生活弄得乱七八糟。

别去碰已婚的人，不管看上去多么诱人，多么完美无缺，多么的合适你！但很多姑娘重复地犯着这样一个错误，激情投入，不能自拔，噩梦一场。记住，世间真正想放弃婚姻的男人太少了!!!男人有时像蜗牛一样，偶尔图个新鲜，探出脑袋弄个外遇，可又有哪只蜗牛愿意真的扔掉它身上的壳？那是他的家，里面有他的家产和全部的归属。蜗牛若是扔掉了背上的壳，不是在玩生活、玩感情，是在玩命！而玩感情的人比比皆是，玩命的真不多。

有很多让我看着既心疼又着急的姑娘，经常是一边哭一边天真地对我讲："他不爱他老婆，我与他的感情才是真爱，他跟他老婆不合适，他们之间没有爱情！"亲爱的，他都告诉你多少回、多少年了，他不爱他老婆，只是和她凑合，可是他为什么还没有娶你呢？如果他真想放弃老婆而娶你，用得了这么多时间吗？最起码他也得从家里彻底搬出来住。

你会说："他也有难处，我不想为难他。"你不为难他，就要为难自己。

还有一位女士，爱上一个男人，两个人说好，双方都离婚，然后结婚。这个女士情真意切，真的回家就把婚离了。而那个男的，五年了还没有离婚，总有各种借口。每当这位女士说要和他断绝关系了，他就告诉她说："你是我的真爱，我不能没有你，如果没有你的爱，我就没法生存。"可每天他按时回家，所有节假日都和自己的太太、孩子一起过，而这位女士每天在孤独和黑暗的陪伴下，暗自神伤。我问她："你为什么不离开？"她说："我怕他受不了。"我说："这么多年，他好像从来不担心你是否受得了，你的未来会怎样？他知道给你的有限，但还一直霸占着你，你觉得这就是你需要的爱？"她说："当然不是。""那你究竟想要什么样的爱呢？"她说："我当然希望彼此能够日夜陪伴，可是不可能啊。"我说："这个人不可能，但真的没有可能的人吗？如果这个人五年前，在你们彼此热烈相爱的时候，没有遵守对你的承诺，和他太太离婚，今后离婚的可能性大吗？"她沉思良久，带着一脸忧伤，慢慢地吐出三个字："不可能。"

人其实最害怕的是改变，即便现有的环境很恶劣，大多数人也不会选择改变。尽管痛，但是熟悉代表着安全，即使这种安全的环境，其实是煮青蛙的温水，而很多人真的就这样在没有必要的痛苦、折磨中度过自己的一生。

而路一直在脚下，一直在旁边，只要抬起头来，迈开脚步，就是一片蓝天，可太多人，看不到，不敢看，也不想看。

是不是真爱，不需要说服自己，用心去感受。真爱中一定有踏实，有温暖，有自由，有轻松。其他的，不是别人骗你，就是自己骗自己而已。

细水长流，才能陪你到最后

我们总以为花前月下、阳光沙滩、温情浪漫是爱情的主体，甚至全部。许多人以为，相爱的人，激情淡去，像亲人一样慢慢就没爱情了。

其实从激情满怀到平平淡淡，才是真爱的开始。人不可能永远充满激情，从浓烈到平淡是必然。所以重要的不是爱得多么炙热，而是能否长久。

亲密关系中，从如胶似漆到产生矛盾冲突，并不是爱的消失，而是爱升级的信号。在矛盾中，我们慢慢了解彼此真正的喜好厌恶，知道什么时候进什么时候退，在琐碎的日常生活中，最终找到让彼此舒服的方式。

激情易发，真情难守，爱的香醇才能相伴偕老。浓厚的深情是酿造的结果，是每天相处的日子里，彼此温柔相待，像涓涓细流，源源流淌。

性格不合，恰是相濡以沫的开始

很多恋人与夫妻在产生多次矛盾和摩擦之后，经常把原因归结为双方性格不合，指责对方"江山易改，本性难移"，因而分道扬镳。

我见过许多对夫妻，婚前互相欣赏，婚后则互相指责，而且欣赏和指责的其实是同一个性格特征。比如，有一位女士，在婚前特别欣赏她的男友——高大帅气、风趣幽默，走到哪里都是大家关注的焦点，觉得和他在一起很快乐，也很有面子。可结婚以后，他依然受到很多女人的关注，他的侃侃而谈就成了故意拈花惹草，于是，他们之间经常争吵。

还有一对夫妻，他们谈恋爱的时候觉得彼此性格互补，是完美的结合。男方乐观洒脱，不后悔过去，也不担忧未来，当下开心就好。女方能干又有担当，从小就帮家里承担很多责任，因为妈妈生病，爸爸常年在外，她又是老大，所以照顾弟妹、妈妈，做家务都落在了她的肩上，在她的世界里除了干活和负责任外，不知放松和快乐为何物。所以，当她碰上这个每天大大咧咧、无忧无虑、成天乐呵的男生时，就被他吸引，和他相处有了久违的轻松和愉悦，原来，生活还可以这样过！

但婚后生活非常不如意，因为她发现，这个男人什么心都不操，家里的，家外的，他自己的父母，一概不操心，总说车到山前必有路。她可是把什么事都得事先安排好的人，一切得井井有条。她发现最后承担一切的人都是她，因为她习惯了承担一切。可她这位高兴、洒脱的先生只顾活在当下，这在她看来就是完全不负责任，后来两人经常争吵，最后先生在家里笑得越来越少，再后来就尽可能不回家、晚回家、少回家，最终以性格不合为由长期冷战。

在建立亲密关系的初期，吸引对方的某些东西，在中期、后期往往就会变得令对方无法忍受。

世界的真相就是这样，能干的人势必有强势的一面，认真细致的人往往思虑过度，乐观洒脱的人常常单纯天真，什么都不太在乎。

一个人的性格有很多方面，往往在不同时刻表现出来，你的感受也会不同。在你认为合适的时候出现——你会觉得这是他的个性，甚至是优良品质，在你认为不合适的时候——就成为他的缺陷。其实自始至终，人家并没有改变。你享受了这种个性优势的一面，就要承受这种个性缺陷的一面，这是一枚硬币的两面，不可能只取其一。

性格不合的阶段，恰是我们相濡以沫的开始

在亲密关系中，根本不存在性格合不合的问题，而是爱与不爱的问题。生活在一起后，当双方熟悉到一定程度，突然发现走得那么近，彼此间有那么多不同，这个阶段两人的疏离不是性格不合，只是亲密关系进入了一个特殊阶段的必然结果。可以说性格不合的阶段恰是我们相濡以沫的开始。

相互之间摩擦的开始，就是回答以下问题的时机：

（1）你到底喜欢什么？

（2）你到底需要什么？

（3）你希望我怎样说、怎样做？

（4）你希望我做什么、不做什么？

（5）我怎么做，才能让你觉得舒服？

比如，你可以问："我特别想做你打 10 分的爱人，你现在给我打几分？"如果对方说"我给你打 6 分"，你可以接着说："那 6 分太差了，我想当个 8 分的爱人，我怎样才能变成你 8 分的爱人？"

现在，闭上眼睛，感受一下，如果你不高兴的时候，你的爱人心平气和、充满关切地问你这些问题，你的感受会是什么？你会怎么回答？结果会是什么？

情侣或夫妻之间性格合与不合，不是与生俱来，而是相互摩擦的结果，所以叫磨合。

在一次亲密关系课中，我问一位丈夫："你需要你太太做什么？"他说："什么都不用做，只要做到'用崇拜的眼神看着我说话'，我就给她打 10 分。"

还有一位男士说："她只要不抱怨我就打 10 分"。

……

我发现，当下夫妻之间很少有这方面的交流，所以我建议，你回去问问你的爱人，也可以告诉 Ta："亲爱的，在我心里给你打 6 分，我希望你变成 8 分的爱人，我希望你做到……"

你要告诉爱人或恋人怎么说、怎么做，不能说"希望你能对我好点儿，更懂我一点儿"。因为，好一点儿，懂我一点儿，太抽象，是你希望的感受，而感受是通过具体事情来体会的。记得有位女士告诉我："我希望我老公对我好一点儿。"我问："怎样就算好一点儿了？"她说："一周打我四次，不是每天打就行了。"我当时真的是目瞪口呆，从来没想过，好一点儿是这样的意思。

所以，要非常具体地告诉对方，他需要怎么做。

你可能会说，告诉 Ta 就没有意思了。但我要告诉你，亲爱的，咱们先解决有没有的问题，什么都没有才真的没有意思。

一个妻子上完亲密关系课后，回去教丈夫："你要这么搂着我，把我紧紧地搂在你怀里，然后用脸贴着我的前额。"我问她："感觉如何？"她说："结婚多年来，第一次感到他的胸是坚实的，他的臂膀是有力的，教会他拥抱也幸福。"

爱人，是需要教才知道怎么爱你的人

爱人是要教的，教 Ta 怎么对待你，就像教孩子一样，慢慢地 Ta 就会了。

比如，我爱人是以做事情的方式表达爱的。记得婚后头前几年，我经常对他说"抱一下"。他说："哎呀，都老夫老妻了，不用抱了。"我就站在他面前，继续说："抱一抱。"他就抱了，后来慢慢习以为常，现在我往他面前一站，什么都不用说，他就主动拥抱了。所以，爱人是要教的。爱的营造需要聪明才智，不能只靠一种方法。得学会创造。

在与人相处中，我们总以为自己争取来的好像有打折的感觉，觉得白给的才有价值，实际上，这是一个很大的错觉。

有一个女孩说"他从来不表扬我"，我说："你要告诉他，要教他，他不是你，怎么知道你想听什么话呢？"回家后，她在一次和老公的对话中说："老公，这句话你要这样说的话，我会觉得很舒服。"当时，她老公就重复了一遍。女孩告诉我："听他重复我的话，虽然是我教的，但听着也舒服。"

这是个慢慢训练的过程，在一次又一次的磨合中，对方就知道如何做了。

所以，如果我们希望别人怎么来对待我们，我们就应该告诉对方，教别人如何来做。

爱抱怨"性格不合"的人都在做梦，觉得别人就应该什么都知道。平时等着、撑着、憋着什么也不说，等着别人来猜；然后等吵架的时候，口无遮拦，"你从来不爱我""你什么事也不干"……什么话都说，没有顾忌，让人家无所适从。

改变要从自己开始，希望别人先改变，只会使我们越来越困惑，越来越无助无力。

怎么做呢？

在心平气和的情况下，你可以每个星期都来一次"检视"，问问Ta："我俩这个星期在一起，你觉得我表现得怎么样啊？"要从自己开始说"老公我特别想做一个 10 分的老婆，我怎么努力才能够让你更加满意？"他肯定特别高兴，会告诉你一、二、三、四条。然后，你自己掂量掂量，哪些能做到，哪些不能做到，能做的就去做，把不能做的告诉对方，说说为什么不能做。

不要再拿性格不合当借口了，所谓的性格不合，大多数情况，不过是因为你的需求没有得到满足，对方也没有从你这里得到满足而已。你总是认为对方不懂你，但从来没有教过对方该怎么对待你，大家都希望对方无师自通，而事实上，心有灵犀不是机缘巧合，而是两人千万次磨合的结果。

心理学家是如何解决自己家里"性格不合"问题的

记得和爱人新婚不久，那会儿我在读研究生，假期爱人来看我，我同学也来看我，还给我带了一大麻袋瓜。

家里来客人，我爱人一般是到另外一个房间去，很少与人说话。

因为宿舍只有一个房间，他就坐在靠窗边的位子，埋头看书，也没站起来打招呼，一直背对着我们没回头，我叫他他就像没听见一样。

当时，这让我和我同学都非常尴尬。我非常生气，他太没礼貌了，太不给人面子了，和我性格太不合了！因为我一直热情好客，他却像一块冰一样杵在那儿，反差如此之大，这日子很难过下去了。

同学离开后，我就打算和他好好"磨合"。

我说："我觉得你倒不一定要说很多的话，但至少你要站起来，基本的礼貌要有。"他回答说"我才不想装呢！"我说："你这和装不装没关系，这是基本礼貌的问题。"他说："你要说没礼貌那就是没礼貌了。"

在我们的婚姻生活中，这种情况屡有发生。

我爱人有许多很好的品质和习惯，但也有直到今天，我都不能完全接受的地方，这就是生活。在与人交流方面，我俩这么多年来磨合了很多，后来慢慢发展到——来了人他能够笑一笑了，话还是很少，不喜欢的人他还是不搭理，但总算比当初好多了。

他后来告诉我，他内心其实不希望我俩在一起的时候有别人来打扰，因为我们本来在一起的时间也不多。但我的朋友特别多，一拨一拨地来，他觉得特别浪费时间。他说："我这么冷淡还来这么多人，我要热情一点儿那还得了？还有，你也需要休息。"我是高兴，还是继续生气呢？

这是不是性格不合呢？

他在家里特别爱整洁，其实我也挺爱整洁，但跟他在一起后，打理家务的能力就迅速退化了，因为他的需求比我高，我不如他收拾得好，慢慢地我就不怎么收拾。他一出差回来，就觉得家里特别混乱，他就非常生气，平时也因为我东西乱放不高兴。

后来，我就想了一个办法，告诉他："你对这方面的敏感度非常高，而我相对来讲就差远了，所以你肯定是第一个看到家里脏乱差的那个人。所以，我建议，以后你回来，看着家里乱，就别把时间和精力用在跟我吵架上，赶快收拾就行了。收拾好了咱俩都高兴。"他说："你这样很不讲理。"我说："那你想想还有没有别的方法，你知道，我也在许多地方比你敏感度高，比如我对人的敏感度比你高，我发挥我的特长，你发挥你的特长，要不然咱俩就只能出现一个结果，就是每次都为这件事吵架。"

他想想也觉得有道理，就答应了。开始的时候，他进家门，还是皱眉头，我就赶紧提醒说，咱俩有约在先，他就开始收拾了。

现在我们基本不为这件事吵架了，所以"性格不合"的问题就这样解决了。

性格不合的核心，是我们之间的关系太近。大家离得远的时候都比较容易和谐，我们跟陌生人很少产生纠纷，一般都是和亲近的人发生摩擦和冲突。为什么？因为离得近，我们内在的行为习惯和思维模式就会突显出来。就像我家的毛栗子一样，离得远的不会扎你，离得近了，碰到了肯定会扎你。

不要以为"性格不合"不能改变，就只能走向分手和离婚。

一切都可以改变，只要愿意面对和学习

我的一个学生在学习总结中写道：

我从亲密关系中看到了自己，一个曾经极度没有安全感、控制欲非常强的人。老公的手机每次改了密码，我都能想方设法破译。老公曾戏言他就像是跟一个侦探生活，我还以此为傲很多年。有老公挣钱养家，我衣食无忧，却活不出自己，而是活出了许多怨恨，三十出头的我就患了子宫肌瘤。当医生告诉我肌瘤长8厘米，需要手术，犹如晴天霹雳。

对关系决定生死，我深有体会，而造成关系冲突是因为我一直受情绪的困扰。我这个人情绪来得快去得也快，自己控制不了。老公不常在家，我就期待他能够在家的时间长一些；当他在家时间长的时候，我又期待他做家务或陪孩子；等到他做家务或陪孩子了我又觉得他做得不够好。就这样我也弄不明白我到底要什么样的亲密关系。

现在我放下不合理的期待了，同时把关注点慢慢转移到自己的身上，渐渐发现老公在家的时间比以前长，他也更轻松了。我和孩子经常在他出门的那一刻抱抱他，告诉他早点儿回来。

外在的一切都没有改变，只是我变了，家就变成了爱人一出门就想回来的地方。

我见证了许许多多的家庭从产生矛盾冲突，到濒临离婚，到学习后改变，到相爱如初。

一切都可以改变，只要愿意面对和学习。

要做就做
"不费力也讨好的父母"

第四章
Chap

4

搞定孩子的爸爸才是成功的爸爸

奥巴马第一次竞选总统时，在长达 21 个月的选战中，没有错过一次孩子的家长会，这让他感到非常自豪。他的太太米歇尔在演说中谈到奥巴马也非常骄傲，因为做总统的丈夫至今仍经常和女儿一起共进晚餐，耐心回答她们提出的问题，为她们在学校交朋友的事儿出主意。有一次，奥巴马观看女儿们的篮球比赛，看到小女儿萨莎所在的球队得分，他激动得大叫："加油！加油！加油！得分！"

"Man"爆全世界的贝克汉姆做了一件"萌"爆全世界的事情，他把小黄人文在了自己身上，只因她的小女儿"小七"（Harper）希望他这样做。之前他还将小七的名字文在脖子上——"Pretty Lady Harper"，把宝贝女儿永久"放"在身上。

也许，以这种方式表达对女儿的爱，许多中国爸爸会不屑一顾，但对贝克汉姆来说意义重大，这是他送给 4 岁女儿最好的生日礼物，对女儿来说，意义更加深远，爸爸把自己的名字文在身上意味着：

我是重要的，以我为傲的，喜欢我，爱我的。

奥巴马和贝克汉姆都可谓是世界超级名人，也超级繁忙，即便如此，他们也没有因为工作和社交生活的忙碌而忽视孩子的需求，忘记了陪伴孩子。

我听到很多家长说："我非常爱孩子，所以我这么忙碌。"但孩子不会在你忙碌的背影中，在看不到你关注的眼光中感受你的爱，孩子是在你的陪伴中，在你温暖的怀抱、有力量的双臂和温暖的话语中感受爱的！

其实，你也一样，也是在陪伴、鼓励和温暖的相拥中感受爱。

现在，为了给孩子创造好的物质生活条件，很多父母，尤其是爸爸，拼了老命忙着给孩子挣钱。我曾听到一位妻子对丈夫提出要求：你要为儿子挣到几千万。我说，你这不等于咒你儿子无能吗？如果父母的奋斗目标就是为子女积累下足够挥霍一辈子甚至几辈子的家产，你向孩子传递的是什么？是想传递"孩子，你很无能，只能拼爹"，还是"孩子，你现在就无所事事，随便混，长大当个公子哥，再大了就啃老，一辈子好好当个寄生虫"的信息？

我在带青少年抗挫折能力训练营时，千百次地与孩子的交流中，听到孩子无数次地含着眼泪呐喊："我不要很多东西，不要大房子，不要家里有游泳池、有车，妈妈你抱抱我，别推开我""爸爸你陪陪我""你们不要拿我和别人比较，不要骂我，不要打我""妈妈爸爸，你们能不能和我好好说""妈妈不要和爸爸吵架""我想看到爸爸妈妈的笑脸"……

每每听到这里，我心中总会涌起无限的悲哀，不禁要思考，我们做家长的究竟该给孩子什么？孩子要的又是什么？

父母忙着挣钱给孩子买大房子，却不知孩子只需要一间小小的"心房"。不管你给 Ta 买了什么，都无法弥补缺失的陪伴和深深的孤独。

而且，在孩子的成长过程中，父爱或母爱的缺失会让孩子感到自卑、抑郁，不知如何与人相处，莫名其妙地发怒或悲伤，对他们日后的情感生活和人际关系造成恒久深远的影响。他们中的很多人因此而不知如何去爱，如何与人相处，也不知道如何感知爱，从而陷入长久的孤独。

作为父亲，最重要的是要跟孩子建立永久的亲密关系，培养孩子勇敢面对生活中风风雨雨的能力。要达成这个目标，最好的教育是言传身教，最好的礼物是陪伴。

现在不辛苦，将来会心苦

新浪育儿频道的一项调查显示，94.4% 的妈妈认为，孩子爸爸的陪伴很重要。那么如何让爸爸参与到孩子的成长中来？我给妈妈们五点建议。

（1）请告诉爸爸，现在不辛苦，将来会心苦

有意识地让爸爸参与到孩子的教育中来。教育孩子，父母应该分工，每一天或者一星期中应该明确爸爸做什么，妈妈不要把所有的事情都揽过来，爸爸也需要承担。

曾经，洗尿布，冲奶粉，哄孩子睡觉……几乎被妈妈和老人包办了，现在，你要舍得让孩子的爸爸受累，孩子累到谁就和谁亲。

（2）妈妈请闭嘴，不要剥夺孩子的父爱

爸爸在带孩子的时候，做妈妈的不要老是去评判和指责。很多爸爸无奈地表示，不是自己不愿意做，而是妈妈总觉得这也不对，那也不对，唠唠叨叨，没完没了。其实，爸爸爱把尿布放哪儿放哪儿，喂孩子饭喂到鼻子里那也是他的事儿，跟孩子打打闹闹犯点儿小错误随便他，让他的天性得到释放。

妈妈们，请闭上你的嘴巴，在旁边欣赏，你要是看不惯，就请走开。因为，你要知道，也要相信，很少有爸爸不爱自己的孩子，他不会有意伤害孩子。也许不合你的意，但也许合孩子的意，最关键的是，爸爸有爸爸爱的方式，都按你的方法和意见，孩子就等于又多了一个妈，而你因此剥夺了孩子的父爱！

（3）给爸爸和孩子建立关系的空间

孩子大一点儿了，要创造一个父子、父女单独相处的空间。你和朋友去喝喝咖啡，买买衣服，逛逛商场，让他们爷俩在家愿意怎

么玩儿就怎么玩儿，他们之间有自己的相处方式。记住，一定要给爸爸和孩子建立关系的空间。

（4）对爸爸的抱怨，是给孩子的生命罩上雾霾

笨拙的爸爸不会表达自己的爱，妈妈要帮助他传达爱。告诉孩子："宝贝，你不知道你睡着了有多可爱，爸爸亲了你的小脚丫才走的，你的爸爸是多么多么爱你。""你看，爸爸多么爱你，工作非常努力辛苦，就是想让你能够过得更舒服、更开心，给你想要的东西。""爸爸对你有时很严厉，主要是他希望你能更好地成长，不被宠坏了。"

做妈妈的，千万不要成天唠叨抱怨，在父子、父女之间制造矛盾："你看都是我在管你，你爸不回来也不管你，你病了你爸也不管……""我怀你的时候，你爸爸还打了我，弄得差点儿就没了你。"

如果你做不到建立爱的链接，请不要破坏，因为你破坏的不仅是父亲和孩子的关系，还有孩子对自己的生命价值的肯定和认同。孩子会认为：连爸爸都不爱我，这个世界上，不会有人真的喜欢我了。

你对孩子爸爸的抱怨，给孩子的生命罩上的是恒久的雾霾。

做妈妈的，如果你真的爱你的孩子，你给孩子最好的教育和爱，就是好好爱孩子的爸爸。做爸爸的也一样，其他的都是浮云。

（5）不要企图总是和爸爸达成一致意见

他做他的爸爸，你做你的妈妈，孩子在这样的环境中成长，将

来可以早些适应社会。

因为，我们培养孩子的目标是希望 Ta 能够独立生活，适应社会。社会中的人，形形色色，有千百种甚至更多不同的观念、意见和行为。父母意见有时不统一，正好给孩子一个学习如何在不同意见中分析、判断和选择的机会。我们要培养的是孩子适应和决断的能力，不是利用孩子实现自己的意愿，更不是让孩子做自己的啦啦队。所以，不要人为制造一个假象——爸爸妈妈意见完全一致。你要相信孩子的分辨能力，做一个真实真诚的人非常重要，如果你是真诚真实的，你传达出来的信息不会让孩子感到纠结，你自己也就不会纠结，而孩子离真理比大人近。

少赚点钱，多赚点幸福

根据《今日美国》的民意调查，71% 的美国人认为做父亲是一个男人最重要的角色。同时，有 64% 的美国人认为做母亲是一个女人最重要的角色。80% 的美国人认为孩子成长在一个有父母亲的家庭非常重要。

我们期待，越来越多的父亲能够认识到自己在育儿中的重要角色，花更多的时间陪伴孩子成长。没有付出就没有收获，世界上没有任何一件事比培养一个健康幸福的孩子更值得投入时间、精力和资源！因为孩子幸福的小脸给我们带来的是无可替代的幸福，这种幸福沁人肺腑，持久芬芳！

　　爱，其实就是你温柔、支持的眼神，你温暖的拥抱，你紧握着我的双手，你全神贯注地倾听……像奥巴马和贝克汉姆那样做一位好爸爸，舍得为孩子花时间倾注深沉的爱，陪伴，才是你对孩子最长情的告白。

没有任何成功能够抵消教育孩子的失败

到现在为止，还有许多家长认为孩子是属于自己的，想打、想骂、想责、想罚，天经地义。殊不知，孩子只是经由你来到这个世界，去完成他自己的梦想和使命，并不属于你，也不由你控制。你的任务是帮助孩子成就 Ta 的梦想，不是完成你的愿望，担心是对孩子的诅咒。最大的爱是尊重孩子的意愿。

孩子在成长过程中必然会犯错。家长怎样看待孩子所犯的错，怎么去处理这些事，其实就是一个了解孩子的机会，靠近孩子的机缘，帮助孩子成长的途径。

孩子犯错了，不是你指责孩子的理由，也不是打骂孩子和发泄自己的情绪的借口。孩子要学习、要成长，要亲身经历，亲身体验，犯错也是一种学习和成长的途径。

你那么拼命给孩子创造的物质条件，也许很多时候反而成了孩子创伤的来源，你让 Ta 和周围的同学不同，使他缺少和多数同学相处的体验，使 Ta 成为被嫉妒或攻击的对象。不管你给 Ta 买了什么，都无法弥补你缺失的陪伴和留存在 Ta 心底的孤独。

决定孩子一生过得好不好，与数、理、化的成绩高低，会不会琴、棋、书、画的关系不大，决定健康和幸福的是：孩子在成长中有没有感受到爱，有没有学会爱；能不能做出正确的选择，是否具备抗挫折能力解决遇到的困难。老师和父母对孩子最好的教育是：发现孩子的特长，在孩子犯错时帮 Ta 找到解决的方法，不是指责批评。

有人说培养孩子就是教会他们，不惑、不忧、不惧，我不敢认同，人生不可能没有困惑、忧虑、恐惧，当制定了一个不可企及的目标时，最后的结果就是失望和挫败。

我认为，我们需要教会孩子知道从出生到最后离开这个世界时，困惑、忧虑和恐惧是生命的必然组成部分，不抗拒、不逃避，学会在这些感受中发现自己、理解他人，创建属于自己的生命。

如何培养孩子的长远目标

家长想要培养孩子的长远目标，需要做到：

（1）和孩子保持良好的亲密关系，关系好，Ta 才会和你交流；

（2）帮助孩子发现 Ta 擅长什么，喜欢做什么，因为人只有做自己擅长的事，才能做好、做长久；

（3）拥有抗挫折能力，有了抗挫折能力才能够在遇到挫折时不会情绪低迷，而是内心坚定，继续向目标迈进。

一个拥有良好的亲密关系，做的又是自己擅长的事，还能抗挫折的人，幸福就成了水到渠成的事。

没有一种成功能够抵消教育孩子的失败。孩子好，家才好；家好，国家才会好。人整天忙忙碌碌，很大一部分就是为了家庭幸福。可有太多人只有物质的追求，没有幸福的体验。

孩子的问题，其实都是家长的问题。

对孩子教育和关爱，不是送 Ta 参加什么学习班，训练什么技能。对妈妈来说，对孩子最好的教育是好好爱 Ta 的爸爸，对爸爸来说，是好好爱 Ta 的妈妈。爱的能力很重要，这种能力很难在课堂上学习，更多的是在家里学到，身教重于言教。

记得有个孩子告诉我，他爸爸回到家，醉醺醺，摇摇晃晃地对他说："你给我好好学习。"然后自己就去打麻将了，孩子说，他心中除了对爸爸的鄙视，没有其他感觉，爸爸越是让他好好学，他就越不想好好学。

你想让孩子成为什么样的人，你就先成为什么样的人。孩子更愿意看你怎么做，不是听你怎么说。

轻松愉快，
才是做父母的正确方式

有个孩子说，他非常希望爸爸能和其他孩子的爸爸一样，骑自行车送他上学，不是开奔驰送他去学校，可爸爸一定要开车去，觉得这样既方便又有面子，孩子后来就不让他送了；家长给孩子买高级的玩具，而孩子偏偏喜欢摆弄一双破袜子，一个包装盒。家长花费很多钱，孩子还不开心，这就是费力不讨好。

很多父母在教育孩子的过程中总是做一些费力不讨好的事情，为了孩子努力赚钱，买车买房，上最好的学校，孩子还是不领情，不听话，甚至和孩子之间的隔阂越来越深。

你和孩子的关系决定孩子会不会听你的，听多少。要管教孩子，就先和孩子搞好关系。在管教孩子之前不妨先问问自己，如果用十分来衡量你与孩子的关系，能打几分？然后问孩子，你给妈妈或爸爸打几分？如果孩子回答6分，那接着问，妈妈或爸爸怎样做才能达到 8 分？孩子会非常愿意告诉你怎么做。比如，一个小姑娘告诉她妈妈："如果你和我在一起时不看手机，不玩手机，就给你打 8 分。"

父母和孩子的关系如果低于 8 分，就别急着去管教，先和孩子搞好了关系再说，否则说得再多也只是白费口舌，心火直窜。

每个家长都认为自己爱孩子，但是，爱与不爱你说了不算，孩子说了才算。

一个孩子告诉我："我觉得最幸福的时候就是爸爸妈妈和我一起吃饭。爸妈不在的时候，房子只是房子，不是家。一家人都在一起的时候，房子才是家。房子里有没有贵重的东西不重要，重要的是妈妈爸爸不吵架。"

其实，父母给孩子带来的最大伤害不是房子不够大，没有车，没有时尚的衣物，而是你对孩子的担心、贬低和不信任。父母自己怨声载道，争吵不休，却要求孩子各方面做到优秀。这会让孩子不自信，不相信人生，而恰恰自信和学会信任才是取得任何成就的起点。

你想给孩子的究竟是什么？父母都想孩子幸福健康，但究竟要怎么做，才能让孩子不管经历什么风雨都能坚定地继续向前、健康成长、获得并感受幸福？

太多的父母忙着挣钱给孩子置办家业，却不知孩子最需要的是自己创造事业、置办家业的能力。

在各种人际关系中，其实最应搞好的是父母与孩子的关系。亲子关系是你传送价值、理念的桥梁，没有了桥梁，你什么都传送不到，空有一帘幽梦。

想改变孩子，先改变自己

一个妈妈问我："我的孩子为什么脾气很大？"我问："脾气大到什么程度？"她说："冲我吼叫，摔东西。"我问："她发脾气的时候，你一般有什么反应？"她答道："我会冲她吼、骂她，有时候会打她。""那你和爱人发脾气的时候会怎么做？"她答道："我会吼叫、摔东西。""那孩子的脾气像谁呢？"她有些醒悟，略带羞愧地说道："像我。"我说："孩子的行为是学习的结果。"

还有一个母亲，因为孩子看手机非常不满，经常因此数落、指责孩子，觉得孩子应该把时间用在读书、写作业上，怎么说孩子都不听。她问我该怎么办。我问孩子："你为什么不听妈妈的话？"孩子答道："妈妈一回家就看手机，告诉我不要看手机，她却看手机。"我看着他妈妈，说："我想你已经有答案了。"

再后来，我见到这两个母亲，她们都说：自己变了，孩子就变了。

孩子主要是通过镜像，也就是模仿来学习的，不是通过听父母的话来学习的。成人也是如此。孩子所有让你看不顺眼的行为，基本上都是你的行为和思维方式的翻版。你不学习、不改变，孩子就很难改变。

花心思花力气改变自己，孩子自然会发生改变。

孩子不做作业，是父母的问题

"作业做完了吗？"一句话折射出中国多少父母爱的无知，爱的苍白，爱能力的缺失，折射出多少孩子生活在要求和期待的压力中，很少感受到温暖和支持。

刘女士的儿子从上小学开始就与她的这句"作业做完了吗"如影随形。孩子无法用理性来表达自己的愿望和需求，也不知道如何告诉妈妈他不喜欢被这样对待，所以他选择用自己的方式和母亲顽强对抗：顶嘴、磨蹭、撒谎、拖延，不爱学习，甚至逃跑……

刘女士说："我儿子今年 10 岁了，在班里成绩不错，但我希望更好。我和孩子的主要冲突集中在他的学习上，我俩每天都因为作业的问题吵架，他做作业常常马虎、磨蹭，我说，他不爱听，还嫌我唠叨，有时候把我惹火了，就揍他两下，经常这样。有时候，他不想听就跑了，让我很担心。前段时间，学校在周末开展心理辅导课程。老师发信息说，孩子如果有这方面的问题可以来学习，九点开课。早上孩子还在睡觉，我怕晚了，就把他在睡梦中叫起来，急急忙忙赶过去。结果去了发现，不是他们班级的活动，也没有我们的座位，我想既然已经来了就听听，所以找老师临时给我们安排了座位，孩子当时就生气了，觉得老师又没让他来参加，好像不是我们的活动，还非得把他叫起来参加，他就觉得这件事情我做错了，我当时心里挺不舒服，也不想承认错误。出来后，他对我的态度也激起了我的愤怒，我俩越说越激动，后来孩子就跑了，而且孩子这阵子有时候流露出生活没意思的情绪，这让我很害怕的。"

听完刘女士的陈述，我说："如果我生活在你家，我也觉得生活挺没意思的。"此时的刘女士一头雾水，她不清楚问题到底出在哪儿。我说："首先，周末本来是孩子休息的时间，你却把他从床上拉起来去参加一个他不喜欢的讲座，去了以后，不是他班里的活动，和一帮陌生人在一起，还没有位子，哪个孩子会高兴？哪个成人在这种情况下会高兴？孩子不高兴很自然，表达了他的不满也名正言顺，是你做得不合适，可你不但没道歉，还生气指责，你怪孩子逃跑了，那我想问问你：谁愿意跟一个做错事不认错还强词夺理的人在一起呢？"

刘女士承认，可能是自己做错了，但她依然强调："我这样做都是为了孩子好。让他参加辅导班也是为了他能提高成绩。"

我再次追问："这是你的需求还是孩子的需求？"

Chapter 4
要做就做"不费力也讨好的父母"

她停顿了一下，承认这的确是自己的需求。我说："我相信这不是你做过的唯一一件——不顾孩子的需求和愿望，固执己见、一意孤行的事情，对不？"她回答说："是的。"

要想和孩子处理好关系，不能把自己的需求自以为是地强加给别人，当别人不按照自己的需求或者意愿执行的时候就发脾气、抱怨。这样做的结果就是让亲人和朋友远离自己。家长只是孩子的监护人，没有权力替代孩子做任何决定，更没有权力规划孩子的未来道路该如何走，家长的角色是启发、引导，做孩子的榜样。

刘女士的问题，除了经常独断专行外，还有在和孩子发生矛盾时失控，把自己也变成了孩子，和孩子争执。

我问刘女士："在你遇到有人对你大喊、大叫、发脾气、威胁的情况下，你是否也想逃跑？"

刘女士说："也是，我得先改变自己，但有时候他提的要求也不能无条件答应呀？"

我说："你说得对，孩子的要求不能无条件答应，但你的要求是不是孩子也不需要百分之百听从、答应？"她点了点头，然后问道："那我什么时候答应？什么时候不答应呢？"

我认为，答不答应孩子的需求和要求，标准很简单。有一个最简单的方法：首先不是符合不符合你的意愿，而是问自己，问孩子，这样做、这样说，能不能提高他的八项抗挫折能力。

她又问："孩子经常想逃离，我该怎么办？"我提了以下几点建议。

（1）对孩子大声指责、发脾气，孩子想逃离是必然的，要想解决孩子逃跑的问题，首先自己停止指责，停止发脾气。

（2）告诉孩子，妈妈非常爱你，非常希望你好。询问孩子："你到底希望怎样跟妈妈相处？0~10分，10分是特别好，0是不好，你觉得你现在跟妈妈的关系到底是几分？"孩子如果说是5分，你说："我想变成得8分的妈妈，我该怎么做？"相信孩子会告诉你。

（3）接下来告诉孩子："每当妈妈和你生气，你离家出走，妈妈都非常难过、害怕。能不能告诉妈妈怎么做，你就不会离家出走？"孩子一般会告诉你该怎么做。但你一定要按照孩子的要求来做，不能说话不算数。大多数孩子一般都很讲道理。

刘女士后来告诉我，她与孩子关系好多了。

我从来没见过不讲理的孩子，只见过不讲理的家长。

每个孩子内心都渴望得到家长的肯定、赞扬、尊重和关爱，孩子也都希望和父母亲近。当你给孩子足够的空间和尊重，他们都愿意听从和配合对他们有好处的建议和要求。

孩子常常是给点儿阳光就灿烂，而家长常常贪得无厌，使得孩子不得已才"奋起反抗"。

不要以为爱就可以任意伤害

我对刘女士说："我觉得你是非常爱孩子的妈妈，只是方法不太合适。我想问你，你那么想让孩子听你的话，如果孩子一切都听你的，估计他长大后会成什么样子？"

刘女士回答说："这个我没想过，就是有时候寻思，就算他不成才也得先成人。但现在，我都不知道他将来能成啥样了。"

我追问："都听你的话了，会成什么样？"

刘女士说："规规矩矩的一个小男孩，没有自己的思想。"

我继续追问："那你满意吗？"

刘女士回答："也不满意。"

我说："你想想看，不听你的话，你不满意，听你的话你也不满意，你到底希望孩子怎么样？"

刘女士："对啊，我还是希望他成为一个有主见、有责任心、知道感恩的男孩。"

我说："你希望他有主见，同时又希望他听你的话。他成天听你的话，他的主见从什么地方来？"她沉默良久。

"人间从不缺少爱，只是，很多父母在错爱。"我曾在网上看过这样一句话，引发了广泛的共鸣和很多评论。的确，天下很难找出不爱孩子的父母，错爱孩子的父母却数不胜数。做父母的经常会本能地从自己的角度出发，尽自己最大的努力去为孩子设计成长之路，规划未来之途。而事实上，大多数时候我们所构筑的这"美好的一切"并不是孩子要的，好多时候，适得其反。

记得在一次自我探索课上，有一位四十几岁的女性声泪俱下地说道：自己的一生就是父母的玩偶。父母在当地有权有势，呼风唤雨，所以从上什么小学、初中、高中、大学，到在什么单位做什么样的工作，最后嫁什么样的人，都是父母一手安排的。她说："我从来没有自己的思想和选择，像木偶一样被父母摆弄着，在家里，还不能表示不满，因为稍有流露，就被批评为不懂感恩和孝敬。在外，不论自己多么努力，都被人视为靠父母，有关系。最终我实在感到窒息，没有生活的意义，完全不知道自己是谁，该怎样生活。"

最后，她在年近四十时做了一件家人和外人都认为大逆不道、不可思议的事，放弃了在那个城市的一切，逃离了父母和熟悉的环境，到了一个没有任何熟人的城市，重新开始，寻找自己是谁，寻找自己存在的意义。

她说："我恨我的父母，他们的替代和包办剥夺了我自己对生命的体验。"我问她："一个人在外苦吗？"她说："很苦，一切都要从头开始，一切都要靠自己的双手，但我内心感到很充实、很自由，因为我靠自己的能力和双手，过自己的生活，做自己命运的主宰，这种感觉很棒！"

很多父母拼命让孩子的物质生活有保障，不想让孩子过苦日子，以拥有物质的多少来衡量孩子苦的程度，殊不知，真正的苦，不是物质的缺乏，而是一个没有选择和自由的灵魂。

一个能够自由选择的灵魂可以创造自己想要的物质财富。一个只能接受别人施舍的人，内心不可能有尊严和能量，即便施舍的人是自己的父母。

因为人来到这个世界是为了贡献和创造的，剥夺了孩子贡献和创造的机会，就等于剥夺了 Ta 生命的意义。

教育孩子是一项不能从头再来的工程，而且时间有限。也没有等待的时间，唯有静下心来，用心学习，用心陪伴，如果不知道该怎么办，就问问孩子：妈妈怎样才能成为一个好妈妈？爸爸怎样才能成为一个好爸爸？孩子会有答案。

最好的老师，是你的孩子，如果你真的能够知道这一点，并且认真、用心地聆听和陪伴孩子，以身作则，你就不会错爱。

做母亲、做父亲，是一场奢侈的旅行，让每一刻都成为纪念，而不是悔怨。

不怕孩子早恋，就怕孩子不会恋

"爱恋"是身体和精神的自然需求，给孩子信任和空间，他们的自控力超出你的想象。为人父母，我们可以收获和体会到信任的力量！一味地阻止不仅影响你跟孩子的信任关系，容易伤害到孩子，也说明你对人性的规律太无知。

父母也都曾年轻过，谁在青春期不曾对异性有过迷恋和心动呢？

（1）孩子早恋其实是父母了解孩子的好机会

早恋其实正好是你了解、发现和引导孩子的一个机会。

我经常问女儿："你喜欢什么样的人？为什么喜欢这样的男孩？学校里有没有心仪的人啊？"还告诉女儿："妈妈绝对不会反对你恋爱，只是万一恋爱了，得学会如何在恋爱的情况下，不影响自己的学习。还有，就是现在性病很多，艾滋病是一种致死的性病，是通过性传染的，所以，对性要特别谨慎，不能伤害到自己。"

女儿说："我连男朋友都没有，你还告诉我这么多！"我说："妈妈得提前让你知道啊，我可不能让我的宝贝女儿稀里糊涂地受伤害，还有，妈妈非常愿意做你的闺密，一起探讨关于男孩子的话题。"看得出，女儿对我的态度很满意。

对女孩子最好的保护，是成为她的闺密，这样你才有机会了解她，引导她，支持她，帮助她。

反对和阻挠不会停止一颗涌动的心，只会困扰孩子，使孩子更容易受伤，会加快孩子早恋的步伐，也会迫使孩子撒谎。

（2）早恋也是激发孩子创造力的好时机

不怕孩子早恋，就怕孩子不会恋！

什么是会恋？就是在不影响学业的前提下还能享受恋爱的甜美，而这可以激发孩子的创造力。

孩子需要在真实的生活体验中学会如何驾驭情感与学习，并在其中找到支点，在放纵和自律间学会平衡。早恋也会让孩子学到很多东西，比如主动探求的能力、与人交往的能力、承受失败的能力。

人的本能对人的驱动力是最强的，爱恋是一个动力，它所产生的能量远远大于很多说教。所以，妄图用说教的方式去压抑天性完全无效。

人不可能跟本能抗衡，父母对孩子青春期的活动只能因势利导。

（3）早恋是早点儿练习人生角色的契机

其实人生的角色从来就不是单一的，我们在任何时候，可能同时当妈妈、爱人、女儿、同事、朋友，其实这些角色并不是等到毕业以后才会开始"扮演"，可以很早就开始练习，家长可以把早恋看作是孩子早点儿学习人生规则的契机，让孩子学会如何把握自己人生的不同角色，学会怎样在各种角色中平衡责任、义务和情感的同时，还能不忘自己人生的主要目标——学业。

所以，早恋应该等于早练，也就是早点儿练习如何扮演好生活中的各种角色。

总之，孩子若能被正确引导，Ta 会学习如何与异性亲密相处，如何把握和处理亲密关系，如何在激情中还能把握自己生命的主线——学业和事业。

作为父母，尊重孩子，帮助他们获得丰富的生命体验，适应生活的各种挑战，是对孩子最大的爱和最温暖的支持。

孩子早恋，你该怎么做

我的建议是在这一时期，父母可以和 Ta 做朋友，变成 Ta 无话不说的朋友。

我们每个人都年轻过，都恋爱过，女生曾经看着那个穿着海魂衫的男生，心就怦怦直跳，脸色绯红；男生看见扎着马尾辫的女生，呼吸都变得急促了，痴痴地看着她，这些青春的体验我们都有过。

孩子早恋的时候父母不应干涉、控制和指责，不是一句"不准谈恋爱"就能使一颗澎湃激动的心安静下来，就能让 Ta 把全部精力投入到学习上，而是怀着好奇、支持的态度，问问 Ta 感觉怎么样，喜欢 Ta 哪些品质，告诉 Ta "我当年就是喜欢你爸爸 / 妈妈，乐观幽默，喜欢读诗，穿白衬衫，领子很干净，篮球场上很矫健……"和孩子一起寻找那个男孩或女孩身上的亮点，说："妈妈觉得你眼光真不错！""我相信你一定可以保护好自己。"校园舞会的时候可以帮你的孩子挑选，穿什么礼服或是戴什么颜色的领带；对方过生日的时候，可以帮忙买花、选生日礼物……这样一来，你会成为孩子无话不说的朋友，Ta 恋爱时也愿意与你一起分享那份甜美和喜悦，失恋受伤时也愿意向你倾述，如此，你就可以陪 Ta 走过那些青春激荡的日子。

接下来，你要和 Ta 成为同一战壕的战友。

孩子早恋时，你可能会面临"请家长"，这个时候，你是站在学校一边一起来批评指责孩子，还是站在孩子这边给予足够的理解和信任？

记得千万别站错队，你要让孩子感觉到无论 Ta 做了什么，你都和 Ta 是同一战壕的战友，你是 Ta 的盟友，不是敌人，不是卧底和间谍。

疏导大于惩戒，越是这种时候，你越不能当"教务处"的老师，动不动就找 Ta "谈话""训话"。你要清楚地知道，最重要的是：要保护你跟孩子之间的信任、尊重和爱的关系。

你的责任是帮助孩子成长，不是让老师高兴，更不是老师的帮凶。所以，不管说什么做什么，你都先想想是否对你和孩子的关系有帮助。你可以说："宝贝，不管老师说什么，不管同学怎么看，爸爸妈妈都在你身边，我们都相信你，我们希望你快乐成长。"

不要做孩子之间的"第三者"

孩子早恋时，有些家长气急败坏，手足无措，于是跟踪、盯梢，偷看日记、短信，背后找老师和对方家长，斥责 Ta 的小男友或小女友，总之穷极一切手段成为他们的"第三者"，棒打鸳鸯。其实，这是最愚蠢的做法。

在我们的青少年抗挫折能力训练营里，有一个非常漂亮的小姑娘说起她和一个男孩在交往过程中妈妈的一些作为时泪流满面，浑身颤抖。原来，有一天下午，她和那个男生放学后一起走在回家的路上，妈妈突然从一棵树后蹿出来，当着很多同学的面大声骂她"不要脸"，还威胁那个男孩不能再和她往来，在场的同学嬉笑着看热闹。从那以后事隔两年了，这个女孩每当想起妈妈尖着嗓子喊出的那句刺耳的"不要脸"，以及同学们幸灾乐祸的嘲笑时便浑身发抖，而且变得不敢抬头，不敢再靠近同学和老师，不敢相信任何人，越来越孤僻，起了满脸的痘痘，封闭自己，也越来越抑郁，有时还会用刀片割自己的手腕。

一个年过 30 岁的男孩从法国留学回来，帅气又多金，受到很多女孩青睐，但他都不理不睬，他说："当年我妈在我放学的路上跟踪我，在学校和家里各种闹腾，还把我关在房间里不给手机、电脑，只给饭和水，这样关了一个月后，我们自然就分手了，但我一下子瘦了 20 多斤，那种感觉我真是受够了……"所以长大后的他不找对象，谁都不找，因为当年心理上受到了很大的伤害，他说，这么做是要报复妈妈。

不管你喜不喜欢，孩子经由你而来，并不属于你。你可以引导和关怀，但不能替代孩子的选择。有些你眼中的弯路，却是孩子的必经之路，他们在经历中学会选择、把握和创造自己的人生。有时候，最深厚的爱是看着孩子受苦，你仍然不插手，只是静静等候 Ta 在苦痛和迷茫中慢慢地找到方向和长大。

和孩子对抗，越怕的事就越可能发生

跟孩子对抗的结果是：Ta 背着你悄悄地干，如此一来，你越怕的事就越可能发生。

青春期是人建立独立人格的一个很重要的阶段，这个阶段的孩子特别愿意跟大人对着来，基本上老师和大人不让干什么就更想干什么。央视有一部纪录片叫"谜一样的青春"，片中主角是一个处于青春期的男孩，成绩优异，直接被保送上高中。但他喜欢一个女孩，老师、爸爸都非常着急，多次找他谈话，不准他谈恋爱，后来男孩不堪重压，留下了一个诀别的字条就消失了。

青春期的孩子自杀，大多是因为失恋。处于青春期的他们能做出特别极端的事情来捍卫自己的感情，家长在这方面需要深刻反省。孩子为什么就不能谈一场小恋爱呢？时代虽然不同，但人的本能和感情却是相同的。有网友留言给我们说："我父母要有这样的觉悟，我现在就不至于对感情这么白痴了。唉！你们说早几年让我爸妈知道，现在不就没这么烦了吗？"

"没有早恋的人生真是很遗憾啊！"

"真正谈恋爱的时候也会手忙脚乱，不知所措。"

把家打造成孩子一出门就想回来的家

研究证明，最容易产生早恋、厌学和各种不良行为的孩子都是在家里感受不到足够的温暖和爱的孩子，家里缺爱他们自然要到外面去获得，去寻找那种被关心、被关注的感觉和温暖的体验。

世界管理学之父 Peter F. Drucker（彼得·德鲁克）的关门弟子詹文明老师说，他的小女儿上大学后依然每周都要回家，同学说："你为啥每次都要回家，家里有什么好玩的？"她女儿回答："我家里不是好玩，是好温暖，我们家除了笑声还是笑声。"

这样的家，谁不想回来呢，谁还会在外面流连忘返？

亲爱的孩子爸爸妈妈，你们拼命打拼的一切，孩子或许并不稀罕，他们需要的是温暖的爱的"心房"，这里有爸爸妈妈相爱的笑脸，有温暖的陪伴，有关爱的眼神，有信任、支持和鼓励，有爱的流淌，这样的家，孩子一出门就想回来。

抗挫折能力是给孩子最好的生命礼物

经常有父母问，究竟是做虎妈狼爸，还是对孩子进行赏识教育？我认为这些都是教育的手段和途径，教育的核心应该是培养孩子的素质和能力。在帮助家长和老师解决孩子教育中的问题和困惑时，我发现他们的问题归纳起来不外乎以下几点：

（1）如何和孩子交流，孩子才会听你的话？

（2）如何让孩子有学习动力？

（3）如何培养孩子的责任感？

（4）如何培养孩子的自信？

（5）如何培养孩子学习的自觉性和自控力？

（6）如何教孩子制定切合自己实际的目标？

（7）如何培养一个乐观开朗的孩子？

（8）如何教孩子解决生活和学习中的难题？

（9）如何培养孩子与人交往和沟通的能力？

这些问题都是决定孩子们一生成败的关键问题。

我认为父母给孩子最好的生命礼物是：当 Ta 在这个世界上独立时，能够拥有独自应对挑战、驾驭自己跌宕起伏的命运之舟的能力——也就是抗挫折能力（Resilience），主要包含有八种能力：身体健康，情绪管理，人际交往，自尊自信，乐观（现实），设立目标、解决问题，控制冲动，主动探求。

抗挫折能力才是决定孩子不管经历什么风雨都能继续向前、追求幸福的能力。

如何培养抗挫折能力？

近年来，心理学家们一直在研究、探讨这样一个问题：为什么有的人在经历了灾难、磨难、挫折和痛苦后仍然不屈不挠，勇往直前，能造福于社会，享受生活的乐趣？而有的人却失去了自信自尊，退缩回避，怨天尤人，悲观绝望，一蹶不振，甚至犯罪，有害于社会？究竟是什么因素导致了不同的命运？

作为家长，我们哪一个不希望自己的孩子能够在充满竞争、变化、压力、磨难、痛苦和挫折的生活中充满自信，勇于面对，百折不屈，走向成功，成为有益于社会和他人的人？

令人欣喜的是，科学家们找到了答案。他们发现抗挫折能力是在困境和苦难中，决定什么人成功，什么人失败的重要原因；更令人兴奋的是，这种能力是可以通过学习和训练获得和掌握的。

对于 8 岁以下的孩子，父母需要学习如何培养孩子的抗挫折能力。对于 8 岁以上的孩子，父母和孩子都需要学习如何培养抗挫折能力。

个人生活环境和所处的时代背景很难改变，我们不应抱怨环境和教育制度，因为抱怨解决不了任何问题。

每一个时代都有它的局限性。我们要教会孩子如何在现实环境中不断成长，增加能力和智慧，面对困难和挑战，成就自己的梦想。

那么具体要怎么做呢？孩子每天的饮食起居，日常活动，甚至是在每一次与老师、同学和父母的矛盾冲突中，在 Ta 的需要和愿望中，在 Ta 的喜怒哀乐中，把关注点放在八项抗挫折能力的提高上，把抗挫折能力的提高作为评判与奖励孩子的标准。你会发现，在这个过程中，孩子慢慢成为自己人生的主人，你的角色是陪伴、支持和帮助，而不是要求和主宰。

培养孩子面对逆境的能力是我的心愿

在这里我想分享一下我的人生经历。我出生于一个医学世家，所以，很小的时候就准备当医生。长大做了医生后，我发现对许多病，医生能做的只是诊断，却没有更多有效的治愈方法，于是我就想寻求更有效的解救人的方法，所以读了医学研究生，读了医学博士，后来又去美国做了医学博士后，前后我在医学实践和研究中历时 20 多年。

在美国从事神经分子生物学的研究中，我接触了许多国际前沿的科学成果，逐渐知道：其实许多疾病皆源自恐惧、害怕、焦虑、愤怒、悲伤等情绪。"恐伤肾，怒伤肝，悲伤肺，忧伤脾"，中医古老的说法不是老生常谈，而是一种智慧，更是一种科学。这一点也逐渐被近现代的西方科学界所证明和接受。

近期科学研究发现：内科门诊患者中有 70%~90% 的疾患和心理因素有关。WHO（世界卫生组织）所列的世界前十种疾病中有五种是心理疾病，其余的五种皆和心理相关。"情绪可以致病，情绪也可以治病。"这是 21 世纪科学研究的结果，也是 21 世纪科学健康管理的方向。

我曾经在美国最大的心理健康中心 Centerstone 为来自 32 个国家的移民和难民提供心理治疗服务，他们中间有参加过越南战争和海湾战争的退伍老兵；有几乎全家被杀绝的索马里人民；有许许多多经历过战乱的不同肤色、说不同语言的各国人民；有经历和目睹过海啸、"9·11"事件的人；也有早年被强暴，遭受过或目睹过家庭暴力的孩子；有经历或目睹过暴乱、车祸或其他意外事件的人；也有亲身经历或目睹亲人罹患严重疾患的人；还有经历了汶川特大地震的师生。

为他们服务使我有机会直接接触经历非人磨难仍然能成功的人，

也有机会去帮助许多被命运折磨得惶惶不可终日、对生活绝望的人。

我深知，灾难、挫折和人与人的矛盾冲突不仅会造成身体疾病，对人们的工作、学习、人际关系等方面也有严重影响，严重者甚至会导致自伤自杀、他伤他杀。所以，培养孩子们面对逆境的能力成了我的心愿，我认为，抗挫折能力的培训和提升是关系到国计民生的大事。

我们在愤怒中无法思考，在躲避中无法发展，在恐惧中无法创造，在焦虑中无法快乐。那么，各位老师和家长，我们能不能帮助我们自己和孩子重拾内心的宁静与和谐，在淡定中追求人生的目标，在温暖和支持中感受生命的快乐？

其实，每个孩子都是人才，只要给足爱、支持和空间，Ta 就会绽放。

孩子考砸了，正好可以提高抗挫折能力

以下是发生在我女儿小时候的一件事情。

一次，我出差回来，女儿告诉我，她的期中考试考得不好，特别是数学考砸了让她很难过，因为数学一直是她的强项。

我：成绩下来了吗？

女儿：没有。

我：你怎么知道的呢？

女儿：我有一道题不会做，而且一点儿思路都没有。以前从未有过这种情况。

我：那你觉得你尽最大努力学习了吗？

女儿：没有。

我：你是想不努力就有好成绩？

女儿：嘿嘿（不好意思的表情）。

我：那你复习期间干什么了呢？

女儿：我不敢说，怕你惩罚。

我：你告诉我真实情况，这次不罚。

女儿：我每天晚上看小说看到很晚。

我：看到几点？

女儿：大概十一点。

我：这对你考试有什么影响呢？

女儿：我感到很疲倦，脑子发蒙没有灵感。

我：那你总结一下，这次考得不好主要是什么原因？

女儿：没有认真复习，睡觉不够，脑子发蒙。

我：以后怎么办呢？

女儿：认真复习，保证睡眠时间。

我：知道了去做就好。

女儿：但是妈妈，我一想到老师明天公布成绩就害怕。

我：怕什么？

女儿：不知道，就是很害怕。

我：那你想象一下老师公布考试成绩的情景，看看你什么地方害怕。

女儿：听到她念我的名字，然后说70分。

我：是老师的声音吗？

女儿：不是，是同学们讥笑的表情。

我：所有同学吗？

女儿：不是，两个同学。

我：哪两个？

女儿：我最好的朋友和我的竞争对手。

我：哪个人的表情让你最难受？

女儿：是我的竞争对手。

我：那你能仔细看看她的表情吗？告诉妈妈你难过的程度为几分（0~10）。

女儿：6分。

我：那是什么让你难过呢？

女儿：她有点儿幸灾乐祸的样子。

我：你继续看她的表情，感觉自己的难受程度有没有变化？

女儿：（过了几分钟）我已经不难受了。

我：为什么不难受了？

女儿：她笑一下，就去忙她自己的事了。

我：那现在难过程度是几分呢？

女儿：零分。

我：你现在什么感觉？

女儿：不害怕了。

我：宝贝，你想想，你的竞争对手让你学到了什么？

女儿：不受别人的负面影响，学会让自己镇定，做自己需要做的事。

我：那你应该怎样对待你的竞争对手呢？

女儿：感谢。

我：宝贝，妈妈为你的进步点赞！

我认为，我们培养孩子的目的是帮助 Ta 成为健康、幸福和成功的人，这就要求 Ta 端正态度，拥有获得成功的能力，而这些态度和能力是在一件件小事中培养出来的。

不论在什么情况下，我们都应该把关注点聚焦于提升孩子的抗挫折能力——情绪管理能力，人际交往能力，控制冲动的能力，解决问题、主动探求、保护身体健康的能力上。

每个孩子都想成为一个出类拔萃的人，内心都有评判是非对错的标准，有的时候无法抵抗诱惑，在本来应该用来学习的时间，玩了电脑，看了小说，我们成人又何尝不是如此？

我们需要帮助孩子在诱惑和学习之间，学会平衡，打骂和责备并不能让孩子学会这种能力，孩子要有发自内心的动力和意愿，努力才能做得到。

父母爱成绩，但要取之有道

　　和许多妈妈一样，我特别希望女儿喜欢读书。女儿刚上小学一年级的时候只喜欢看绘本，但在我眼里，绘本不算真正的书，满页都是字的才叫真正的书。但小孩一看，那么一大篇文章，能认识的字没几个，像看天书，啥都不知道，肯定一点儿意思都没有，不愿意读。

　　我知道强迫没有用，得想个办法让女儿很快喜欢读整本都是文字的书。我认为，孩子在学校里所学的各种科目中，读书和写作是最重要的，它关乎孩子的人文修养，对人情世故的了解。

　　人只会做自己喜欢和愿意做的事，或者为得到自己喜欢的一切去努力。我知道女儿最喜欢的是迪斯尼电影中一匹紫色的独角马，正在热销中。我便有了主意，选了一本适合小学一二年级学生看的故事书，其实是一套中的一本。我拿着这本书对女儿说："宝贝，你想不想要独角马？"她的眼睛马上亮起来了，说："想。""你想不想自己挣钱买这匹独角马？"她说："想，可是妈妈，我怎么挣呢？"我说："你读完这本书的话，就可以得到这匹——独角马。"

她爽快地答应了，因为她知道，不到节假日，我不会她要什么就买什么的，这是一个早点儿得到独角马的机会。

我把独角马买回来放在客厅，她每天都可以看到。然后，在日记本里，我画了一匹独角马，又把书分成了 13 个部分，分别代表马头、马尾、马身子、马胳膊、马腿等等。她每读完一章，我就说，宝贝，你已经得到马头了，再读完一章，你得到马的前腿了，马背、马头等等，她仍然不喜欢读书，但她喜欢独角马，为了得到独角马，她坚持着。家里也经常有她的小伙伴来，都挺喜欢那匹独角马，他们会对她说："你赶快打开给我们玩啊！"我女儿说："不行呀，我妈妈说我把这本书读完才能玩。"小朋友们一听，立马和她一起读书，帮她查字典，很有意思。

几个月后的感恩节那一天，孩子们把最后一章读完了，欢欣雀跃，终于打开了盒子，那匹马还带四匹小马，音乐盒可以转来转去的，他们特别特别高兴。

看完第一本书，她就爱上了这一套书，因为很有意思，后来我不用再奖励了，她看完第一本以后，还要看第二本，一个系列十几本，她全看完了，后来读书的事我就不用管了，我女儿现在特别特别喜欢阅读。

帮助孩子养成新的习惯是非常困难的，挑战这个困难必须激发孩子的内在动力。动力一定源于满足孩子的渴望和需求。

你一定要知道孩子的需求是什么，不是指责、唠叨。如果你对孩子说"英文那么差，好好背单词吧"，孩子肯定有抗拒心理，要知道，背单词是你的需求，不是孩子的。你一定得把背单词、读书变成孩子的兴趣、需求，他才有动力去完成。

对大多数成人来说，上班是一种谋生的手段。上班才能有工资，有了钱才能买房、买车、买衣服、买食品、去旅行。其中的原因其实很简单，人得为自己喜欢和需要的东西努力。

孩子也是，孩子的目标可能和我们以为的重要目标——升学、升职、升官、买车、买房不一样。但他们也有自己特别想要和感兴趣的东西，比如玩电脑、看画报、买东西、玩手机、吃麦当劳，和朋友一起玩等，也许你觉得没有价值，也许你觉得浪费时间，也许你觉得不够高大上，但你需要知道，那是孩子的需求，我们可以通过满足孩子的需求把我们的培养目标插进去，两全其美。因为没有人会为了别人的需求和愿望全力以赴，但我们每个人都会为了自己的需求和梦想奋不顾身。

父母爱成绩，但要取之有道。

别让孩子觉得你工作只是为了赚钱

我们全家和友人一起去旅行，其间谈到投资的问题，投资房产，买股票等。女儿听后好像非常感慨，我觉得这是一个非常好的时机，和女儿谈谈我的价值观，什么是最好的投资，更重要的是谈谈我对钱的价值观。

经常听到有人说，买股票很赚钱，投资房地产很赚钱，找一个什么工作很赚钱，找一个什么样的人会有钱，好像人生所有的关注点都在钱上。当然，我和钱没有仇，我也非常喜欢钱，因为钱会给我们带来很多生活上的享受和方便。但君子爱财，取之有道。

我认为，赚钱不应该是人生追求的目标，而是做自己喜欢并擅长的事情的自然结果。所以，要想过得富足，首先要做的就是发现自己喜欢的和擅长的事，然后不断地学习，提高自己的能力。发现如何能够让自己的知识和能力对别人有帮助，同时让人在得到帮助时有美好的感受。

如果你把这几点都做到了，人们自然会回馈你的努力和服务，你也自然会衣食无忧。很多人的选择都基于恐惧，人在恐惧中将大部分能量都会用在逃避和防御上，不可能有创造。能为人带来帮助、鼓舞和能量的东西，一定源于激情、热爱和创造。

这么多人把关注点放在钱上，有很深的道理，这个道理就是基于人本能的需求和选择。人本能的需求就是安全，钱是人能够看到和感到的安全标志。有了钱，就有了保障，就有了安全。从这个意义上说，这种观念完全正确，不过是非常粗浅的认识。

我们和孩子需要明白更深层的道理：赚钱重要，生活、养家糊口也重要，但更重要的是培养赚钱的能力。这种能力，取之不尽，用之不竭，随着学习的深入，知识、能力和经验不断积累，不是随着年龄的增长而减少。这种能力，当你运用时给你带来快乐、兴奋和力量，不是疲惫。这种能力是天分，是你的特长，不是人云亦云，不是赶潮流，随大溜；这种能力由内而发，自然流淌，不硬逼，不强求。如果你帮助孩子发现和培养了特长，而且这种特长能够服务于社会，你就真正帮他找到了"胶皮饭碗"，就像我妈妈说的：这种饭碗，即便掉在地上，也能自己弹起来。

"怕孩子吃苦"是给孩子吃的最大的苦

我们需要给孩子提供尽可能多的机会和场所，去体验，去发现，去展现，就像鱼儿到了水里，自然会游，像把鸟儿放飞到天空，自然会飞一样，不用逼迫，自然天成。

我相信，天下每一位家长都希望让孩子做自己喜欢和擅长的事情，同时自然而然过着富足的生活。而太多的家长一般会做两件事：第一，按照自己的意愿来安排孩子应该选择什么专业，选择什么工作；第二，自己拼命赚钱，给孩子赚车钱，赚房钱，甚至把养孙子的钱也赚好。

我不得不说，可怜天下父母心。真的好可怜，不仅自己一辈子辛辛苦苦非常可怜，而且传递给孩子的信息也非常"可怜"。你发自内心善意的举动传达给孩子的是：你根本做不了自己的决定，选择不了自己的职业，也不知道自己干什么合适；你养活不了自己，不仅养不了自己，你也养活不了自己的孩子，所以，我得准备好一切。

很多家长忘记了或者根本不知道世界是青年人的，未来是他们的。你可能以为，你吃过的盐比他们吃过的饭还多；你过的桥比他们走过的路还长，但那都属于你的时代、你的生活，不属于他们的时代，也不是他们的生活。你怎么知道他们需要你的经验？你怎么知道你的经验和知识对他们就一定有用而不是伤害？

不管你以为多么了解自己的孩子，你要绝对相信，每一个孩子都是一个独立的个体，都有属于自己的人生，Ta 对自己一定比你对 Ta 更加了解，Ta 一定有自己的特长，有自己的能力，Ta 需要的是发现能够使自己成长、施展自己的天分的平台，创造属于自己的生命，而不是吃你咬过的馍。

我知道你害怕孩子受苦，但受苦是生活必需的组成部分。没有受苦，智慧从哪儿来？能力从哪儿来？体验从哪儿来？幸福从哪儿来？屏蔽了痛苦，你就屏蔽了孩子的幸福；安排了孩子的一切，也就剥夺了孩子的一切。

我承认，看着孩子挣扎非常痛苦，自己辛苦、痛苦，比看着孩子辛苦、痛苦容易得多，这是许多父母为孩子安排一切的原因。到头来，其实你没有自己想象的那么伟大，只不过两害相权，取其轻而已。可你害了孩子，使他失去了体验生活酸、甜、苦、辣的机会，他的人生不可能回头。

能够真正发现孩子的天分和特长，并把这项特长用于和丰富他人的生活，在这个过程当中，孩子才能真正找到属于自己的安全，也才能踏上丰盈和富足的人生归途。

有一种伤害叫作"看看别人家的孩子"

美国女科学家 Barbara McClintock（芭芭拉·麦克林托克）在 81 岁时获得诺贝尔生理学和医学奖，她在领奖台上说："我是一朵秋天里的雏菊，我相信，不是每一朵花都在春天里开放。"是的，每一朵花都有自己开放的季节，每个孩子的生长发育亦有快有慢，快或慢没有优劣之别，只是节奏不同。

你还在培养一个"别人家的孩子"吗

有一种人生的遗憾叫"看看别人家的孩子"。

"你看看，人家彤彤为啥奥数学得那么好？"

"你看看，刘阿姨的儿子已经去美国留学，还拿到全额奖学金。"

"我怎么生了你这个不争气的东西，你怎么就不学学人家孩子，学习好，还听话，不让家人操心。"

"你看看你姑妈家的表妹，你还不如她的一个脚指头。"

"你啊，你啊，笨死了，你看人家田田钢琴过了 10 级。"

你看看……还有好多的"你看看"。

亲爱的家长，你还在培养一个"别人家的孩子"吗？

曾经，一个 5 岁的男孩从幼儿园回家后，发现爷爷病逝了。奶奶和家里的很多亲戚都让孩子去跟爷爷说最后的再见，男孩退缩着不肯向前，无论周围人怎么劝说，孩子一直向后退，哭着说"不要不要。"

见孩子这样，奶奶和其他人非常不高兴，指责道："你爷爷那么爱你，那么疼你，对你那么好，爷爷病故了，你都不愿意上前去说再见，真是太不孝顺了，白疼了你一场。"

孩子仍然哭泣不肯向前，此时妈妈走上前来，抱起孩子在众人的指责声中离开了现场。

男孩的妈妈说："当时我也很纠结，按照我以往的行为习惯，我一定会顺着大家逼迫儿子去和爷爷道别，但是这一次我选择了站在儿子一边。因为到了一个安静的地方，待儿子平静下来后，我问他：'为什么不去跟爷爷说再见，爷爷平时那么爱你，那么宠你？'孩子说：'躺在那儿的爷爷和我平时看到的爷爷不一样，我感到很害怕，他看上去很奇怪，脸色很白，他不是我的爷爷，我害怕。'"

妈妈后来跟孩子解释："那就是爷爷，人活着和死了以后的样子是不一样的，如果以后再见不到爷爷了，想不想最后看爷爷一眼？"

孩子最终同意了，第二天，孩子和爷爷的遗体道了别。

试想，如果孩子的妈妈当时逼孩子去见爷爷的遗体，后果会是什么？孩子会感受到强烈的恐惧、羞辱和羞愧，会被噩梦困扰，留下永久性心理创伤。

我听到这个故事，感到非常心痛，我们如此不了解孩子，在当时的场景下，每个人都只从自己的角度和需求出发，要求、评判和指责孩子，没有人静下来想想看孩子为什么这样做。

亲爱的妈妈们，每个孩子行为的背后都有 Ta 的理由，也许你不理解，也许你感到非常生气，也许你不认同，但孩子一定有自己的理由。

教育孩子，父母不要碍于面子，怕别人说自己不是一个称职的、没有教育好孩子的家长。在这个世界上，孩子只有一个妈妈、一个爸爸，在任何时候，不论发生了什么事情，都要记住，永远站在孩子这一边。

站在孩子这一边，不是纵容孩子，也不是鼓励孩子犯错，而是停下来，给孩子一个机会，倾听孩子的感受和理由，从孩子的角度去看 Ta 的世界，从 Ta 的行为背后，去了解 Ta 的想法和动机，这样我们才能够走进 Ta 的内心，和 Ta 建立可以真心交流的关系，才能够真正地引导 Ta，帮助 Ta。

请记住，我们教育孩子的目的不是让别人看我们做得多好，孩子多乖，多听话，培养孩子的目的是让 Ta 能够了解自己，了解他人，独立应对生命中各种各样的人与事情。

你到底是爱孩子，还是爱自己的面子

也许很多家长不太愿意承认这样一个事实：培养孩子很少是为了孩子，都是为了自己。近 80% 的家长以爱孩子的名义，实际上是为了减轻自己内心的焦虑，发泄不满和满足自己的期待与需求，也为了让自己在同事面前有面子，为了不让自己在家长会上丢脸，为了在同学会上可以吹嘘，为了完成自己当年未实现的梦想，为了自己的人生少留遗憾……所以极力把孩子变成一个可以展示的产品，或是让孩子成为一个实现梦想的渠道和工具，始终没有把孩子当作真正的主体和独立的个体，没有考虑到孩子内在的需求和心声。

Ta 明明是苹果，你认为西瓜个头更大，口感更好，更解渴，于是非要把 Ta 培养成西瓜；Ta 可能只是一株雏菊，可是你喜欢牡丹，艳压群芳，硬是希望 Ta 变成你喜欢的牡丹；Ta 也许是一条鱼，可你希望他成为一只鹰……

你需要认真地反思一下，你期望孩子按照你的要求发展，是不是只是为了你的面子而已，你是否真的思索过，你到底要孩子为你眼中的成功而努力，还是让孩子呈现他本来的素质和天分，是一只鹰就让 Ta 飞上天空，是一朵玫瑰就让 Ta 尽情绽放，成为最好的自己。

拿自己的孩子与他人比较，不如抱抱孩子好好睡一觉

孩子的不自信都源于父母的比较，也许爸爸妈妈们有口无心，但这些话语像魔咒一样在他们的生命里如影随形。

小雪就是这样一个孩子，今年 28 岁的小雪海外留学归来，是一家"世界 500 强"企业的策划总监，看起来聪明、能干，但其实她内心深处一直有个声音"你看看你，你怎么不如人家！"这个声音太熟悉了，在小雪的耳畔响了 20 多年。

小雪出生后不久，爸爸妈妈忙于事业，把她放在了爷爷家。爷爷家有一个小她 6 个月的表弟，表弟长相堪称完美，大大的眼睛，深深的双眼皮，浓浓的睫毛，高高的鼻子，圆圆的脸；再看看角落里的小雪，眼睛小小的，脸蛋瘦瘦的，刚生下来时奶奶说："这孩子太瘦了，怎么感觉脸上的皱纹比我的还多？"表弟不但长得可爱还聪明嘴甜，得宠自是必然，从她记事起，听见爷爷对她说的最多的话就是："你看看你弟弟，再看看你，怎么差距这么大？唉！"边说边摇头叹气，爷爷是当地很出色的专家，在他的眼中，只有弟弟才是人才，而她这个孙女没有什么价值可言。

从那时开始，小雪便开始觉得自己哪里都不好，除非哪一次哪一点像表弟了才算好。从记事起，她唯一能感受到自己有价值的事是冲马桶比弟弟冲得干净，由此得到了爷爷奶奶意外的表扬。长大后的

小雪无论怎样优秀，可总是对自己不满意，对自己苛责和评判。

其实，每个自卑的孩子背后都有一个故事，几乎所有问题都来源于童年时家长对孩子的指责、评判，尤其是比较。也许你随口一句"你怎么就不如人家……"发泄了自己当时的情绪，殊不知在孩子的心中烙下了深深的阴影。

我曾问过很多家长："为什么要拿自己的孩子和别人的孩子比较？"得到的回答是：为了给孩子树立榜样，激励孩子奋发努力。我又问："如果你爱人对你说，你看看隔壁老张家的媳妇，长得多漂亮，还能干，非常贤惠，对公婆也很孝顺，你看看你长这样也就算了，贤惠和能干和人家也差得太远了。你会有什么感受？你会受到激励，从此奋发图强以老张的媳妇为榜样，好好努力做个好老婆吗？"一般得到的回答是："她好，你找她过去呀！"本来还在做饭，饭都不做了。

为什么"榜样"在自己身上激起的是愤怒，而不是动力？

与其花时间和精力拿自己的孩子去和别人家的孩子比较，不如抱抱 Ta，和 Ta 聊聊天，流露支持、接纳的眼神，温暖和爱的怀抱，这才是孩子一生爱的源泉和成长动力。其实，每个孩子刚出生时原本都是钻石，只是在成长过程中被成人不断地否定、批评、比较，童年时被爱、被赞许、被保护的基本心理需求没有得到满足，便会觉得自己不够好，不再是什么钻石而是玻璃，错误的认知和信念会一直影响成年以后的所有工作、生活以及亲密关系中的行为。

美国著名心灵导师 Deepak Chopra（迪帕克·乔普拉）说过："我们今天现在的样子不是我们刚出生时婴儿的样子，而是被大人放在一个错误的容器里挤出来的变形样子。"我们来到人世间犹如一次因公出差，千万不能忘了完成这次出差的主要任务是找回自己最初的钻石般的样子！

花开有时，请尊重孩子本来的进程和样子

生命犹如在不同季节开放的鲜花，有的开在初春，有的开在盛夏，有的开在秋天，还有的开在严冬，正是因为在不同的季节盛开，使我们的生活因此而丰富。

很多时候，父母因为外界嘈杂的声音，急于让孩子去绽放，却忘了花开有时。

请学着放下评判，接受每一个生命本来的样子，看到每一生命的价值和意义。别因世俗观念盲目地追赶和攀比，在孩子的心里种下自卑的种子。

我们希望孩子在学校里成绩第一，又希望孩子有成功、幸福的人生。环顾四周，你认为成功的人里，有多少是当年班里、学校里的第一？

每个生命都有 Ta 独特的纹理和属于 Ta 的旅程。

不是少年得志者就真的会得福，也不是上了名校，找了好工作的人就一定快乐。每个生命都有 Ta 自己的节奏。重要的是培养孩子不管命运怎样坎坷，不管上了什么学校，做了什么工作，都能安然应对，不离不弃，能够放下过去、享受当下、不忧未来的能力。

　　没有哪一个生命比另一个生命更值得称赞。你的孩子就是你的唯一，Ta 也是这个世界上唯一的 Ta，不比任何人少什么。

　　作为父母，我们需要完完全全接纳孩子拥有的一切，让 Ta 成为最好的自己，不管 Ta 在什么季节开放，我们都欣然欣赏。

工作，要有快乐和成就感

第五章

Chap

5

做不快乐的工作是在谋杀生命

别忘了工作本身就是幸福。大多数人认为在稳定的大企业工作就是真正的铁饭碗。我在早年也认为，如果能进入"世界 500 强"中的公司，那饭碗就相当铁了。后来我给一家"世界 500 强"中的公司做咨询，这家公司当时有一个四五十人的部门，因为公司变革调整把整个部门都撤掉了。这个部门的人多数都四五十岁，他们没有想到会在这样的大企业里失去工作，满以为找到了真正的铁饭碗，可以在这里干一辈子，在那一刻，这些人全都傻眼了，甚至有人想自杀，有人想杀人。

这件事给我带来了很大的震撼，原来我们所认为的所有外在的这一切，国企也罢，"世界 500 强"也罢，都不能保证给你带来真正的铁饭碗。那么到底什么样的饭碗才算是真正的铁饭碗呢？

我知道两个很平凡的人，一个是时尚大师，最初他只是一个美发店里的洗头工，但他与其他洗头工不同：他不是只为了挣钱而挣钱，他很热爱这项工作。他在给客人洗头时总是琢磨着怎么能让客人更舒服，能把客人的头发洗得更好。

接下来，当他开始为客人剪发时也总是想着怎样才能把客人的头发剪得更漂亮、更时尚。他着迷的程度到了看见一个人就琢磨 Ta 的头发怎样弄可以更好一些。

再后来，他对时尚产生了极大的兴趣。现在他已经成为一位收入颇丰的时尚大师了。

另一个是我在上海遇到的一个司机，他非常喜欢开车，当他给老板开车时，不管老板在什么地方下车，让他到什么地方去接，在什么地方见面，他都会很准时地在那里等，在车水马龙非常拥挤的上海，他有无数个理由迟到，可他几乎从不迟到，而且总是笑眯眯的，等人的时候就看书，像个书生，很享受他的工作，深得老板的信任和喜欢。结果他成了好几家大公司的老板争抢雇用的对象，年收入几十万元。老板的宝马车他可以随便开，而且所有的汽车费用也都不需要他来承担。试想，有几个人可以开车开到别人给你付油费、保修费等，你只管开的份儿上呢？我也见过同样给老板开车的其他司机，经常怨声载道，觉得自己命运不济，当了司机，低人一等，结果很快就被换掉了。

成为一个有价值的人，才能真正拥有铁饭碗

对于我们的一生来说，工作占据了生活的大部分时间，除了睡觉我们有 70% 的时间是醒着的，如果你在这段工作时间内感受不到幸福，你自己可以算算，这辈子你还剩下几天能够幸福的？但如果你的工作让你觉得快乐，充满热情，你的人生就会比别人多了 70% 的幸福。

现实中，很多人却只把工作当成一种工具，忘记了工作本身就是幸福。

说到这里，我想你会明白一个道理，那就是真正的铁饭碗不是谁能给你的，而一定是在自己意愿的基础上自己为自己创造的，没有人可以给你铁饭碗，只有你自己成为一个有价值的人，才能真正拥有铁饭碗。

所以，"铁饭碗"应该具备这样几个特点。

第一，是做自己喜欢做的事。只有做自己喜欢的事才会特别愿意为它投入，为它无条件地付出。

第二，就是做自己擅长的事。只有做自己擅长的事才会有灵感，才会比别人做得更好。我想大家都会有这样的感觉，当你在做自己喜欢并擅长的事时，你会感到整个生命都变得非常有意义，非常精彩。我们每个人都有自己特别喜欢做的事情，有瞬间忘我投入的体验。那是一种特别愉悦的状态，那个巅峰状态比做爱的愉悦层次还要高。

我们怎么知道什么是自己既喜欢又擅长的工作呢？验证方法就是：即便是钱很少甚至没有赚钱你也心甘情愿去做的工作，就像很多人去钓鱼，你不给他钱他也愿意去，或者是在你的业余时间里，即便不给你钱你还特别愿意做的，这就是你喜欢又擅长的事情。

我们每个人都可以找到自己特别喜欢而且擅长的事。不一定非要读什么博士，非要做什么了不起的事。只要你懂得利用自身的爱好和擅长以及热情就可以得到真正的铁饭碗。

第三，你喜欢并擅长的事，为他人需要，能够使别人的生活过得更加容易和方便，或者可以消除别人的麻烦和痛苦，有人愿意为你的喜好埋单。比如，你可以说，我就喜欢打游戏，如果你能够打到别人愿意付薪酬请你打游戏的程度，你靠打游戏就能让自己生存，当然没有什么不可以。否则，就会变成一种消耗，最终你还有可能产生虚度光阴的悔恨，以及对自己的不屑一顾。

真正的铁饭碗应该是到哪儿都有饭吃

说到这里，如果你对你所做的工作特别喜欢，不计报酬，又废寝忘食，而且又特别擅长，那你肯定在同事中做得最好，这样的人哪个老板不喜欢呢？假如公司有升职、加薪的机会，毋庸置疑，这个机会肯定是你的。如果遇到裁员的话，那裁的也肯定不是你。只要你能够做到极致，那就是青山永在了。你自然就会得到高额收入，又能得到提升的机会，而你一旦全情投入到工作中去，体会工作带给你的乐趣与激情，你想得到铁饭碗就如探囊取物。因为你发挥的是自己的天分，而天分只会在每天的运用中不断增长，不会衰竭。当你的天分有市场需求时，也就是"天生我材必有用"，你的饭碗不铁才怪。

在职场上，我们最重要的任务就是把自己打造成一个"铁饭碗"，而不是向外界寻求，记住，外界唯一不变的法则就是变化，当外界发生了变化，在自己没有充分准备的情况下，外界的变化，有时是惨痛的教训，就像本章开头的例子，虽然在大企业，当整个部门被撤掉，就会让人措手不及。

真正的铁饭碗不是靠别人、靠环境、靠外界，真正的铁饭碗是自身拥有的技能和态度，到哪儿都能开始，到哪儿都能有饭吃，而且一生都摔不破。

所以，现在请先停下你匆忙的脚步和不安的心，好好问问自己：我擅长做的是什么？我想做的是什么？我在做的是什么？如果这三问题的答案是同一件事，而且做这件事能够支持你的生活，你很可能就有了铁饭碗。

学会"管理"你的上级

"领导就喜欢拍马屁的,而且偏心、不公平,而我又不会拍,怎么办?"

在单位里,如果你的同事升迁了,而你未被提拔,我们通常的做法和第一反应就是指责和抱怨,认为别人的职位全都是靠拍领导马屁得来的,抱怨领导偏心、不公平。那么事实真的是这样吗?

一般来讲,人在心理上大都会有这样的倾向:在相处中倾向于让自己感到舒服的人,而领导之所以喜欢"拍马屁"的人,往往是因为那些人说话、做事的方式让自己感觉舒服,被尊重。

其实不只是领导喜欢这样的人,我们每个人在与人相处时也都喜欢尊重、赞赏、肯定自己的人,这是人性共通的部分。所以看似领导喜欢拍马屁的人,实则是"拍马屁"的人让领导感到舒服。

据说,人与人之间 98% 的交流都凭感觉,剩下的 2% 是为自己为什么会有这种感受寻找理由。不管这种说法准不准确,有没有科学依据，但非常符合人与人交流的状态，也就是很多时候，理智都会屈从于感受，感受好了，有事也不是事，感受不好，什么事都是烦心事。只要明白了这个道理，无论你在什么地方工作，不要花时间和精力抱怨领导，贬低拍马屁的人，而是要看看别人为什么会受领导重用、喜欢，也就是说提高"拍马屁"的能力，而不是抱怨和对抗。

如果自认为有才，那就展现出来

当我们自己不够了解人性时，轻易就会把别人的升迁归于会拍马屁，自以为是地认为自己不屑于做那种下三烂的事。

其实，在这种不屑的背后不过是对自己未被领导认可的一种发泄和自欺欺人罢了，是自我解脱的一种渠道和逃避的方式，而这种方式只会让你离你喜欢的工作和升迁的机会越来越远。

有句话说"酒好也怕巷子深"，如果你认为自己是人才，也需要让领导看到你的才能。但前提是他愿意看到，而他愿意看到你的前提是与你相处时，他感到舒服，至少不讨厌。如果这一步都没有做到位，那么你觉得他日后提拔你、任用你的可能性有多大？

没有明白这个道理的话，你的职业生涯一定是不顺利的。因为在任何一个工作单位里，个人升迁都和领导的认可有关，所以不要把不屑于拍马屁当作聊以自慰的一种方式。我相信一个人之所以能够在你之前被提拔，不管你看他是如何不顺眼，如何武断地认为他是靠拍马屁得来的职位，在他身上一定有你未看见的比你强的地方。因此你一定要追问自己：为什么我比他升迁得慢？为什么领导会喜欢他？他除了会拍马屁以外还做了些什么？哪些事情他做得比较到位？我相信作为领导，他喜欢并任用这个人，一定是觉得这个人对他的工作是有帮助、有好处的。

怎样成为上级的"管理者"

从"管理上级"这个角度来看，拍马屁未尝不是一种有效的手段。当然，如果你不喜欢，一定要找到适合双方的沟通方式，这是你在职场生涯中所必须具备的能力。

怎么做呢？第一，在工作中要做到不抱怨，不说闲话，更不要在背后说领导、公司的是非。第二，对于领导交代的工作任务要不对抗、不拖延，认真配合、积极努力地完成。不管你多么不喜欢这个领导，要明白你永远不是为你的领导去做工作，而是为自己积攒能力、经验、人脉这个道理。第三，就是除了能出色完成领导分配给你的工作外，还能完成 Ta 期望的超出你的工作范围的事情。你不仅要替 Ta 去着想，还要在他的前面帮他分忧。

当然，在这里面有一个界限的问题，比方说你替他着想，为他分忧，但一定要把握好尺度。尺度把握不好，反而弄巧成拙。这时候就需要提高你的另一种能力——判断力，你要了解领导到底需要什么不需要什么，而你所能做的只是帮助他完成他的梦想，而不是超越和自作主张，更不是替代和显摆。

第四，如果你想更好地发展，而你真的不喜欢你的领导，可以观察那个领导岗位需要什么技能，看看 Ta 具备什么能力，从现在开始努力提高自己的相关能力，出色地完成任务，让直属领导脸上有光的同时，也让领导的领导看到你的成绩。也许有一天你就真的会替代 Ta、超越 Ta，变成 Ta 的上级，我认为这才是你努力的方向。

所以，不要以"领导就喜欢拍马屁的"来为自己的不努力寻找借口，你需要内观自省：我怎样才能成为领导重用的人？

也许你会说，我根本不在乎领导喜不喜欢我，如果真是如此，也恭喜你活得潇洒自在。不过，真这样，你也就不会说"领导喜欢拍马屁的"了。

不要为了获得人脉而建立人脉

在职场里，除了大家说的"拍马屁"，最常听到的是"某某某有后台、有关系，而我没有，所以没有得到提升"。

是的，你没后台、没关系，所以你将在职场上的不顺归咎于此。很多人都说，能力高不如关系好，你要没关系什么事也干不成，你要有关系什么都行。《三国演义》中刘备的儿子阿斗，人人都说他是"扶不起的阿斗"，他有关系吧？我们为什么还说是"扶不起的阿斗"？说自己没有后台、没有关系，很可能是你内心不确定自己是不是"扶不起的阿斗"，很多人有了关系也是"扶不起的阿斗"。所以你说你没有关系，其实是你不敢承认自己无能的一种借口而已。

我认为，后台也好，关系也罢，都不是你的父母或者亲戚朋友给你搭建的。当然，你有关系更好，但最重要的是，即便你的父母或亲戚朋友给你搭建了台子，而你不在提升自己的能力上努力，最终你还是个"扶不起的阿斗"。

试想，如果是你运营自己的公司，是不是也不太愿意雇用一个靠关系或后台进来的人？因为这样的人来到公司，事情就可能变得复杂、麻烦，你除了要处理纷繁的工作，还得关照他，他要是表现不好，还不能随便批评。想解雇他，还得想想会不会伤了和老朋友、老同学的关系。如果让我雇人，我喜欢雇用没有任何关系的人，比较简单，可以公事公办，不费心力。

其实，从别人那儿借来的关系都是不太靠谱儿的，你靠着你的父母或者七大姑八大姨建立的那种关系，对公司来讲其实就是一个负担，而且不是有了关系，大家就愿意照顾你。如果在一个单位里，你雇两个人，一个是有关系的，一个是没关系的。这个有关系的人是"扶不起的阿斗"，或者表现平平；没关系的人很有能力，你会用哪个？答案是非常明确的，你肯定会用后者。

还有的人，凭关系进来，自己也非常努力，但是不管你取得了什么成绩，别人也可能会说，因为你是靠谁谁的关系，你会郁闷到无话可说。

所以不要总以为有关系对你的职业就是一个加号，其实很多时候是一个减号。

不要成为别人的累赘和负担

我们对关系的认识有很大的偏颇，总觉得好像你认识谁、能够攀上谁就是有关系。其实真正的关系并不在于你认识谁，而是人家是否认识你，是否尊重你、欣赏你，是否觉得你可信、可靠，这才是建立关系的基础。

当你想认识一个有权、有名、有钱的人的时候，其实，心中自觉不自觉有想靠别人的关系获利的目的，对方也会清楚地知道你的动机，当你成为别人的累赘和负担，却希望别人成为你的依靠的时候，注定不会产生有价值的关系，你的人脉圈子会越来越小，因为没有人喜欢和盘算着在自己身上占便宜的人建立真正的关系。

靠别人介绍建立的关系，算不上是你建立的关系，也不可能真正成为你的人脉。所谓人脉，是你能够为别人提供帮助，或者别人因为喜欢你的品质，愿意和你在一起，否则最多算是熟人。

那么我们应该从哪里开始建立关系，怎么建立呢？

从你周围的关系开始，从你的同事、领导开始，使得跟你一块儿工作的同事感到有你真好，使你的上级觉得你很棒，使你上级的领导觉得"我们不能让 Ta 走"，认为你走了对他们来说是个损失，这才是你努力的方向。

一个真正成功的人往往靠的是自己的努力和能力，他们不会抱怨自己没有后台，没有关系，因为他们没有抱怨的时间，只有努力工作的时间。

我刚到美国时，见了我的大老板，我连个"你好"用英文都说不利索。我下定决心让英语口语和听力很快过关。很多中国人到了美国都喜欢和中国人在一起，一起吃饭，一起买东西，周末一起聚会，因为彼此交流容易很多。从这个角度而言，我也喜欢和中国人在一起。但我还是决定让自己在全封闭的英语环境中练习，这样才能尽快过语言关，所以选择尽量不和中国人在一起。每天下了班我就看电影录像，看不懂的地方就倒带反复看，反复模仿，有机会就和美国人在一起聊天，随身带个笔记本，遇到不懂的句子和单词，随时问，随时记，随时查词典。记得有一次我问我的同事如何拼写"愚笨"这个词时，他拼读了我的英文名字，直到我写完才发现是自己的名字，他不禁哈哈大笑，后来，他问我如何用中文说"我很聪明，你很笨"，他分不清"你"和"我"的发音，所以等他向别人炫耀他的中文时就变成了"你很聪明，我很笨"。听到的人都很高兴。我至今依然非常怀念初到美国和同事们欢声笑语的日子，英文就这样好起来了，工作中帮我忙的人也有很多。当然，只要同事有求，我必应。工作上，我非常努力，经常加班加点。工作努力，老板自然也喜欢，以至于我后来学心理学时，老板告诉我："如果你找不到相关工作，可以随时回来工作，非常想念你爽朗的笑声。"

我在美国举目无亲，好不容易和世界眼科研究领域的大人物在一起工作，也结识了这个领域的很多名人，可我又转行学了心理学，积累的人脉都用不上了。我通过努力进入了Centerstone——全美最大的心理健康中心。在美国心理学界，因为心理咨询对于文化和语言的要求非常高，到目前为止第一代移民中做心理咨询师的很少。而我30多岁才到美国，说着一口带中文口音的英文，对他们的本土文化了解甚少，不要说后台和关系了，连与人家日常的交流都困难。同时，我是1000多人的公司里唯一一个来自中国的心理咨询师，连给来访者提供咨询，还得经常查词典，因为许多英语俚语我听不懂。

能够进入这家公司，对当时的我来说已经是很大的恩赐了，所以根本就不会去妄想升职的事。但因为我热爱我的工作，所以我以百倍的热情和努力、心无旁骛地投入到了工作中。

我想，首先不能让来访者投诉，因为来咨询的人绝大多数是美国人，说地方话而且有口音，开始的时候，我经常听不懂，所以桌子上放着一本《英汉大词典》，碰到听不懂的词句，就让来访者写下来，我再查词典，通过这种方式，我学了很多俚语，还有脏话。你可能觉得，一个咨询师连话都听不懂，怎么做咨询？你不知道的是：人与人之间的交流93%是通过身体语言进行的，比如声音、语调、语速、表情、姿势，7%是通过文字。真实、真诚和温暖的关切可以超越语言，而来访者也非常高兴能当我的英文老师。

我在家里种了很多蔬菜和鲜花，上班的时候，我会经常带给同事们分享，我也非常喜欢开玩笑，我想说的是：环境是可以自己创造的。

在 Centerstone，我主要负责的群体是来自世界 32 个国家的移民和难民，为他们提供心理治疗。后来通过与他们的接触，我产生了一个想法，应该把他们集中起来，因为他们是一个具有特殊性的群体，而我自己也是移民，对他们的心路历程比较了解和熟悉，所以我想应该建立一个服务移民和难民的项目。

一次偶然的机会，我碰到 Centerstone 的 CEO，大胆对他说出了我的想法，认为作为这么大的一个公司，而移民和难民数量又如此之多，应该为他们设立一个专门的心理健康项目，时任 CEO 的 George Spain（乔治·斯佩恩）听到后眼睛立刻就亮了，他说："好啊，那你写个报告出来。"后来我就开始写报告，写完了提交上去，我很快就变成这个项目的负责人，不仅薪水涨了，后来这个项目还获得了全州年度优秀项目奖，我和 CEO 的关系也变得非常好。

每个领导都喜欢勤勤恳恳、努力创造、为企业做贡献的人。这是职场关系的核心所在，与你认识了谁，你是谁的亲戚和朋友无关。

关系一定是建立在你对别人有用的基础上

也许大家会说你在美国当然是这样，美国就是认人才嘛！那中国呢？好，那我再说说我回到中国的那段时间所发生的事。因为我以前是学医的，近 40 岁才突然改变专业方向，转向学习心理学。过去那些关系对我没有什么帮助，那我又该如何建立关系呢？我回国两年，正赶上汶川特大地震，灾区迫切需要大量的心理援助。而我对国家培养我多年却未能报答一直心怀愧疚，所以我觉得该是为祖国做点儿事的时候了。同时，从我自身专业上来讲，也是一个机遇，因为对一个心理创伤治疗专家来说，在那儿分析大量的案例，能够得到很多历练的机会，使我能够将这么多年治疗心理创伤的经验和理论用于大规模的实战，所以我非常地投入，在汶川驻扎了三年。

正因为我的投入和付出，我渐渐受到了多方面的关注。来寻求合作、邀请我讲课的人也有很多，而且遇到的都是有相同理念、共同兴趣，对我认可和尊重的人，也就是遇到了生命中的同道之人，彼此相互鼓励和滋养，这才是真正的人脉。

真正的关系一定是建立在你能为别人的生命有所贡献。不管是与哪个层级的人相处，都要把自己放在一个对别人有帮助、有用处的位置，这才是你建立人脉和真正的关系的起点。

所以，不要再纠结于他有关系而我没关系，你应该感到庆幸的是：你幸好没有关系和后台，因为它们终究是不牢固的，而像一张白纸的你，可以不用背负他人的期待，按自己的意愿去打造属于自己的坚固的舞台，在这个过程中绽放你独一无二的天赋。

你是人渣、人工、人才、还是人物

常常听到很多人抱怨，觉得自己所在的单位不好，找不到自己的位置，不被领导重视，同事之间还经常钩心斗角。 我认为工作是生活中相当重要的部分，工作中的状态决定我们的总体感受。而你在单位里有什么样的状态，处于什么样的位置不完全取决于别人，主要取决于你自己。

我从 2011 年招收静修生，第一批学生中，有一个刚来的时候身体不太好，坚持上一天课都体力不支的学生，她的专业背景是工科，没看出有什么才华和能力，话也不多，不会说甜言蜜语，衣着也过于简单朴素，大家都不太看好她。但她有几个特点，她不介意干别人不喜欢干、看不到成绩，耗时很多的无聊的苦差事，而且干得脚踏实地，非常认真，所有的课程都非常认真地参与，做作业也非常认真，践行从不间断，不厌其烦地帮助所有需要她帮助的人，她从不刻意向我靠近，只是默默地做好交给她的所有事情，不计较得失，不争关注，不争宠，就这样踏踏实实地学习、践行了近五年，到今天她是受人尊重、让人信赖的师姐，五年磨一剑，专业功底远远超过了当时和她一起学习的同门，在我心里，她是幸福家团队中举足轻重的人物。

在任何单位，位子和尊重从来都不是别人给的，而是自己挣的。也许上级没有马上看到你，也许你没有在合适的位置上，如果持之以恒，早晚会被发现。有的人像草，发芽早，但枯萎得也早；有的人像树，发芽晚，但却根深叶茂持久常青。

关键是你想成为一个什么样的人。

职业生涯中你究竟想成为怎样的人

经常问问自己到底想成为什么样的人，记得有人说过，任何单位里大概有四类人：人渣、人工、人才、人物。

什么是人渣呢？人渣就是在单位混日子的，每天一上班就惦记下班，稍有不满就四处抱怨，经常说同事不好，说公司不好，说这个不好，那个不好，总盯着所有不好的地方，成天不满。工作上，能少干就尽量少干，多一事不如少一事。最好在上班的时间干点儿私事，对工作单位来讲，这就属于人渣，尽管这个词有点儿刺耳。也许在朋友、爱人、孩子的心中，你很重要、很称职，但对一个单位来讲，你起的作用是消耗、破坏、扰乱，没有贡献，就是人渣。

什么是人工呢？人工是单位交给你的事你都按要求、按标准做到位了。安排什么做什么，不安排绝对不做，斤斤计较，等着领导下命令，是尽了本分的人，尽了本分就是说你对得起自己拿的工资。

什么是人才呢？就是除了按流程和要求完成工作外，还能够积极想办法为所在团体带来好处、带来利益的人。

许多人对人才有一个错误的理解，认为从重点大学毕业，非常聪明，专业上造诣非常深，懂得非常多，学识很高，学位很高，有许多经验，就是人才了。具备这些当然很好，但充其量也不过是基本材质而已，算不上是人才。是不是人才关键在于：你能为所在的企业做什么贡献。最重要的是，是一个诚信的人。能够与周围的人和谐相处，能够把自己和他人的能力发挥出来，为所在团体积极做贡献，这才叫人才。

可悲的是，许多人自恃清高，学位高、学识多就把自己当人才了，觉得老板没眼力看不见，自己怀才不遇。我想特别强调的是，不是你拥有了什么就是人才，而是你到底能够以你拥有的才能为所在的企业和团体带来多大的好处和利益，这才是衡量人才的标准。有的人以为自己是个人才，还有的认为自己是天才，你怎么自以为是都没用，人家用不上你，就是一个废才。你可能是一块金子，但你不发光，就很可能被当石子用了。

什么是人物呢？就是全身心投入，思考、做事，决心要做一番事业的人。

　　能够影响一批人，带领很多人看到高远目标、实现目标的人，是人物。人物一般具有什么特点？都有一种很深的相信，什么叫相信呢？相信就是在看不着、摸不着的时候能够确定这件事情将来走势很好，确信结果很好，这是相信；而且还有一批人都跟着他相信，这种人就是人物。你要是在看到结果后才去跟随，那就叫势利。区别什么是相信、什么是势利很重要。

　　在任何一家企业，你自己好好衡量衡量，不要问单位给了你多少，待遇够不够好，首先问问自己：你到底在这个企业或团体中是人渣、人工、人才、还是人物？任何一家企业，人物的收入和回报是最高的，人才次之，人工再次之。如果你发现自己是人渣，应该觉得没被领导发现、开除，就算走大运了，所以就不要再抱怨了。

　　每一个人在职业生涯中要不断地问自己，工作如此重要，你究竟想成为一个什么样的人？如果想成为一个真的能够有所建树的人，你至少得成为人才。想有铁饭碗也得成为人才，企业如果裁员，首先裁的就是人渣，然后就是人工，人才和人物是企业会竭尽全力吸引和保留的人。

怀才不遇，是你怀的才还不够

经常听人说自己怀才不遇。许多人觉得自己懂这个理论、那个知识，看过很多书，会很多技能，就认为自己很有才了。还有的人以为从名牌大学毕业拿了硕士、拿了博士，就认为自己很有才了。如果说你还没有得到重用、发达起来的话，主要是没有碰到伯乐，没碰到真正知道、了解你的价值的人，所以你常常觉得怀才不遇。而我认为，如果你觉得自己怀才不遇，是因为你怀的才还不够。

人至少"怀"四种才能才算基本有才：

（1）学识和技能，很多人把吟诗、绘画、弹琴，看了多少书，懂了多少天文地理，知道了多少世界大事，会修什么东西，掌握了什么技能，作为才能的全部。你可能"怀"了一些学识和能力，"怀"了学位和一些技能，但这只是才能的一部分。

（2）把自己的学识和能力变为对别人有帮助的才能。你懂得再多，会的再多，如果不能对别人有所帮助，就毫无用处，也只能用来夸夸其谈、自我欣赏或消遣娱乐。

（3）让别人知道你具备某些知识和专长。你知道什么、能做什么，需要让别人知道。许多人因为害怕、不好意思，很少展示自己，别人也就没有机会了解你。最好的展示机会是发现别人的需求，在别人需要的时候帮助他们。

（4）在发挥你的学识和能力时，让人感到愉快，可以信赖，可以合作。你有天大的本事，自视清高，但没人愿意和你共事，也于事无补。

你以为你怀才，其实你只是知识和技能的储存器

所谓怀才不遇，是因为你只怀了 1/4 的才，就以为自己是人才了，其实你只是知识和技能的储存器。不能对别人有帮助的才能，最多也只能是自己的装饰，所以就别喊"怀才不遇"了。

有许多名牌学校毕业的人，找工作时觉得自己就是人才了，摆出一副大材小用的姿态，提条件，要待遇，如果没有满足，就觉得是怀才不遇了。还有的人也自认为很有才，可工作很多年，甚至几十年，没有得到提拔和重用，也觉得委屈、怀才不遇。

自以为怀才不遇的人一般都有几个共同的特点：知识渊博，夸夸其谈；以为自己懂很多，很有水平，能瞧得起的人很少；很少倾听，很少关注别人需要什么；自以为是，与人相处的能力比较弱；

认为其他人得到晋升，主要是靠拍马屁。

如果你真像你自己认为的那么有才，那么你不需要伯乐，自己就可以当自己的伯乐，自谋出路，创造能够发挥自己的才能的平台。你之所以说怀才不遇，其实潜台词是没有得到别人的认可。而得到别人的认可，你还需要具备上面其他三个要素。否则，你怀的是不是才很难确定。你以为是才，在别人眼里，可能是钢材，也可能是烧火用的劈柴，你痛苦是因为你觉得自己是钢材，别人认为是劈柴。

所谓的怀才不遇，只是才华配不上梦想

太多的人忙于到处学习，以为知识就是才华，知识越多就越有才华。远古时代或许如此，在互联网时代的今天，知识大爆炸，上网一查，什么信息都有，不用写、不用记，也不用背，就在指尖，想知道什么，信手拈来。如果你还以知道什么而骄傲，你就 out 了。

是否有才能，重要的衡量标准不是你自己认为知不知道什么，会不会什么，而是你所拥有的对别人是否有用，是否好用，是否能带来好处和方便。比如说，金子是非常好的东西，可用金子做菜刀，菜都切不了。所以，如果你准备做菜刀，别把自己打磨成金子。

要知道自己是谁，想做什么，你想做的是否对他人有帮助，然后集中精力让自己成为这方面的高手，不是蜻蜓点水，什么都知道，什么都知道得不多。

从雇人和用人的角度来讲，许多高层管理者在选择人的时候，在能力和态度之间，首先选的是态度而不是能力，因为知识、技术是可以学的，而态度很难培养。态度代表你的品质和个性，也就是你待人接物的方式方法，与人相处的能力。

没有人愿意和一个自以为是、难以相处的人在一起工作，不管Ta 有什么才华，这就是职场的定律。表面看起来，人的决定主要靠理智，实际上，主要靠感受。你可以认为别人是拍马屁，我想告诉你，拍马屁也是一种能力，是衡量人才的重要标准之一。"拍马屁"是你对别人与人相处能力强的一种贬低的说法和情绪的发泄。拍马屁的核心是对别人的需求的了解。

如果你在现在的环境里感到自己怀才不遇，不是没有伯乐，而是你高估了自己的才能。不管你自以为怀了什么才，没被用上，可以肯定地说：你怀的才还远远不够，你需要做的不是抱怨没有遇到伯乐，而是好好反省、好好学习、好好成长，去弥补欠缺的部分。

什么是真正的公平

关于公平，我们会觉得别人不公平，世道不公平，企业不公平，爸妈不公平，朋友不公平……有很多很多不公平，我们对公平有一个错误的理解。当你说别人不公平的时候，问问你自己，你公平吗？

我记得在灾区给留守儿童做抗挫折能力培训时，有个孩子说："这个老师特别不公平，他只是批评我，不批评他。"后来我带领孩子们做了一个练习，让大家都把眼睛闭上，然后我说，大家都想想看，在你有记忆以来有没有对别人不公平过？当时有 30 多个人。我说，认为自己有过待人不公平的就请站起来。最后全班所有的人都站起来了，我让他们睁开眼睛，大家相视而笑，特别有意思，其实我们每个人都曾不公平地对待过他人。

我们对公平的理解有一个特别大的误区。公平不是用来衡量、评判和要求别人的，而应该是自问良心。我们应该经常问自己：我在做这件事的时候，是不是公正和公平的，公平是对自己的要求，应该作为自省的标准，一个鞭策自己、了解自己、认识自己以及约束自己的尺码，不是评判别人的工具。

我们经常想不通，为什么领导、老师对他好，对我不好？我想说，如果真是这样，背后一定有一个故事或者原因，你可以问问你自己，为什么他们会偏心，那个人什么地方比我做得好？

在这里我分享一个我女儿的故事，在她五六岁的时候，有一天，她回来跟我说："妈妈，那个老师特别不公平，特别差劲，像巫婆一样，她对别人很好对我就非常差。"后来我就问她："那你们老师对什么样的人很好啊？"她想了一下，说："就是那些按时交作业、上课不说话的同学而已。"我说："那为什么老师会对你不好？"她说："我只不过上课说了几句话，下课没有按时交作业而已。"

你知道吗，很多时候我们根本没有想到看到自己做了什么，让别人对我们"不公平"，我们只是看到自己被批评的时刻，没有得到欣赏、认可的时刻，而没有去看别人做得对和做得好的地方，在每一个你觉得不公平的背后都一定有自己做得不到位的地方，只是绝大多数时候，人们都只从自己的角度来看人看事，没有看到全相。

公平的真正含义是：以待己之心待人

相信每个你以为的不公平背后都有原因，这些原因需要你去了解。他人对你不好一定自有缘由，需要去探索和发现，或许因为你的悟性、你的努力不够；或许因为你情绪大起大伏，使人不愿靠近；或许你的认识和能力不足；或许因为你看事情的角度局限，任何一个结果后面都有很多很多的原因，你的任务不是去追究为什么不公平，因为没有人能完全做到公平，你的任务是如何通过努力使公平更多地朝向自己。

世间也许有很多不公平，但上天对人有一种绝对的公平：不管贫富贵贱每人每天都有 24 小时。不管你用它做什么，花一分钟，生命里就失去了永远不可再有的一分钟。时间就是生命！除去睡眠、饮食的时间，我们可以用来创建的时间不多。你用时间想什么、说什么、做什么，决定你有什么样的生活和命运！

我们占了便宜、得了好处时不会觉得世界不公平，感到不公平是因为没有得到自以为应该得到的好处和利益。当我们抱怨不公平时，扪心自问：我做到了公平吗？我对待自己的亲人、朋友、领导、同事、陌生人一样吗？公平的真正含义是：以待己之心待人。

站着说话不腰疼是因为腰疼过

常常有网友、读者以及周围的朋友反驳我，认为我是因为有名、有钱、有地位，所以做许多事情都很容易，说我站着说话不腰疼。我说站着说话不腰疼，是因为我的腰曾经疼过，只是你不知道。

每一个有名、有钱、有地位的人都是从没名、没钱、没地位的时候开始的。我们往往从"站着说话不腰疼"这个终点来看，却没有再往前看，看那些"站着说话不腰疼"的人的从前，如果追溯，就会看到他们中很多人都曾经历过孩提时代的一无所知与一无所有。

很多人从来没有想过那个"站着说话不腰疼"的人怎么从一无所有到拥有现在的一切的过程，只是盯着 Ta 现在所拥有的这些资源，因为"我没有，所以什么都干不了，什么也不去干"。当你去看每一个成功的人背后这些故事，就会发现他们都有一部血汗史甚至是血泪史。

大家都知道曾经辉煌一时的"烟草大王"褚时健在其 85 岁高龄

时从"烟王"变成"橙王"的传奇。但是谁又知道这个"烟王""橙王"经历了多少辛酸的故事？20世纪80年代初他是在困境下，将一个陷入亏损的小烟厂打造成当时亚洲最大的烟厂，在90年代为国家创利近千亿元，之后他和他的家人又戏剧性地成了阶下囚。在此期间，他的女儿在狱中自杀了。当他出狱后已经70多岁了，一无所有，女儿也没了，但就是在这种绝境中，他重新创业，变成今天赫赫有名的"褚橙大王"。

每年我都会买他的橙子，不仅仅是因为他的橙子好吃，当然也确实好吃，更重要的是我为他这种精神所感动，他那"腰"得疼过多少回呀，他不只是"腰疼"，心也几度成为碎片。所以你说"站着说话不腰疼"的人，他不仅"腰疼"过，还心疼过，而且心碎过无数次，才会有今天。

为了走一条少有人走的路，吃苦是必经之路

很多人都觉得海蓝老师你现在如何如何，所以别站着说话不腰疼。但我人生中的每次转折，我知道自己付出了多少汗水，尝过多少辛酸，度过多少艰难。

记得在我读博士期间，当时还是一个无名的学生，人家很多人都出去玩，而我日夜做着实验，做得非常辛苦。因为我想出国深造，而想要出国，就得做出像样的科研成果，才能够有资格、有资本申

请出国。

可是作为一个眼科医生，如果想出国的话，比起做基础医学，如生物学、基因学、生化学这些学科的人来讲，就难多了，而我这方面的基础也差很多。因为出去不能直接当眼科医生，唯一的可能是做科研，所以我要在科研领域跟人家比拼，而且还得比拼出相当的水平，对眼科医生来讲这条路是很艰难的，后来也证明我的确做得非常辛苦。

我就给自己设计了一个科研项目，去找了老师，还要找非常有名的老师，到他们的实验室去做，他们的实验室所具备的实验条件应该接近国际水平。但我根本不认识他们，所以就主动找这些老师，去跟人家谈，因为我是眼科医生，去跟人家谈基础医学的话题，需要读大量的相关资料、论文和书籍，还得说服这些老师认为我的设想是可行的、先进的。后来我说服了好几个在相关领域都非常有名的老师，在他们的实验室里做科研，准备毕业论文。这些工作成为我申请去美国做博士后的资本。

到了美国以后，我在实验室做实验，经常用到 P^{32}。P^{32} 是一种放射性很强的磷，毒性也很大，而且在实验室做科研项目，还要用很多可致癌的化学试剂，毒性都非常大。

从职业层面上来讲，当时这里并不是一个理想的环境，尽管有各种防护措施，但毕竟是每天都在接触。我之所以这样做，就是希望得到老师的信任，做出成绩来，使自己能够在美国有立足之本。可以说为了这样一条路，我一直在中"毒"。

每当选择了一条路，我都义无反顾地走下去

后来达到目标以后，我发现自己花费了很多心血一直干着一件自己不喜欢干的事，这时意识到人生的目标很重要，于是在 38 岁时选择了转行。在此期间，我要全部重新来过，因为要从医学界转到心理学界，放弃 20 年来在这个领域的所有积累，从头开始，有太多的磨难，有太多的不确定，还要承担一个可能的结果，就是学成之后可能到餐馆里洗碗。但我当时选择这条路时，就义无反顾地背着债开始学习。

学成之后，我回到国内，在汶川特大地震发生后去了汶川。我到汶川的时候，余震随时都在发生，当时预测最高震级为 7 级左右，在很多房屋已被震酥的情况下，会是致命的震级，而且洪水随时会来临，瘟疫也可能发生。这种情况下，很多人是不愿意去的，去几天可以，如果是去三年的话，没有多少人愿意待在那样一个地方，尤其是还要把全家带去——我把我的女儿也带去了，当时她还很小，我们在那里整整生活了三年。

我女儿是一个有特殊需要的孩子，她的饮食费用很高，爱人没有去外面工作，在家照顾女儿，没有收入。整个家庭的经济担子压

在我一个人身上。

不仅如此，虽然我们全家去了汶川，满腔热血地抗震救灾，但当时灾区人民流行着一句话"防震、防盗、防心理咨询师"。因为太多的志愿者满怀热情，但缺乏有效的训练和技能，使得许多灾区群众觉得：心理救援就是揭开伤疤，让你再痛一次，要不就是填写大量表格，就没了下文，培训也是听了一大堆概念，并不能改善具体的生活体验。记得有很多次培训，因为学校组织，老师们不得不来，当我问有谁愿意参加培训时，只有寥寥几人举手，当我问有谁不愿意来时，几乎全场的人都举了手，老师们很直率，他们会质问我："地震的时候，你又不在，你家的房子没有倒塌，亲人也没有被砸伤、砸死，你怎么可能理解我们？你怎么可能知道什么是压力？"他们是对的。也正是因为这样的环境和压力，使我不得不面对，不得不想方设法，不得不用有创造性的方法，使他们接受，帮助他们。能力和智慧是被逼出来的。我无限感恩那些挑战我的老师，使我学会面对各种突如其来的挑战。

这世上没有一个人值得羡慕

所以，当你说我"站着说话不腰疼"时，那是你不知道我的"腰"已经疼过无数次了，我的心也痛过无数次，我是经历了太多的事情，才能"站着说话不腰疼"。

但凡有一点儿成就的人，都会经历你所不知道的波折和困难。所以，你不要拿自己今天的状态跟人家经过了风雨已经到达彼岸的状态比，没有任何可比性。因为你并不知道别人的经历，你觉得别人说的事非常容易，是因为他已经经历过了。

　　你觉得有人"站着说话不腰疼"，觉得世界上人人都不能够理解你时，说明你也从未理解过别人，你对别人的生活有很多误判，有很多美化和幻想。很多人都觉得别人的生活比自己来得容易，是因为他们不知道别人的不如意、困苦、经历的辛酸，我们只能感受到自己的痛苦、困扰、纠结，所以我们觉得别人比自己过得如意。

　　我可以确定地说，对绝大多数人来讲，当你真正走入别人的生活，你会发现别人经历的事在很多时候都比你多、比你深、比你惨，所以别坐在那儿说别人"站着说话不腰疼"了。赶紧体会自己的"腰疼"，并在"腰疼"中有所收获。

感恩所有的不完美

第六章
Cha

6

担心害怕的事，往往不会发生

我平时出差坐飞机比较多，在马航飞机失踪事件发生后我就在想：万一有一天我出差时乘坐的飞机不知道飞哪里去了，或者飞不回来了怎么办？就这个问题我跟我的女儿进行了交流，如果真有一天我发生了什么意外的话，我希望她不会不知所措，我应该提前向她交代，让她对一些事情有心理准备。

所以，有一天我与女儿坐在一起聊天时就跟她说："宝贝，妈妈想跟你讲一件事。如果，有一天妈妈坐飞机不知道飞哪里去了，我想让你知道，妈妈一直在你的心里……"

话还没说完，女儿的眼泪就出来了，紧接着就哇哇哇地开始哭起来，不停地说着："妈妈你要是死了我怎么办……我就成为没有妈妈的孩子了……你要是死了，以后再也没有人……再也没有妈妈爱我了……我永远也不会有幸福了……"

我赶紧安抚她说："宝贝宝贝，妈妈就在你身边，哪儿也没去。""那也不行，万一你死了……"她悲伤的程度好像事情已经发生，像是在参加我的葬礼，她持续哭了好久好久。之后我又说："宝贝宝贝，妈妈在，妈妈就在你身边，你摸摸看，妈妈在搂着你，睁开眼睛看看妈妈，妈妈就在这。""哦。"我好不容易才帮她平静下来，让她感到此时此刻我就在她身边。

我们经常在碰到一件事情以后一下就想到一个恶果，并把此恶果当成现实，结果立刻变得万分紧张和害怕。

其实，对于恐惧的事情，除了害怕以外，最需要的是进一步思考以下问题。

（1）究竟会发生什么？最坏的结果是什么？

（2）这些事情如果真的发生了，你准备怎么办？结果会是什么？

让人真正恐惧的其实不是事情本身，而是不确定会发生什么，对自己的影响是什么，当确定了，即便是不如意的结果，恐惧也会减少很多。

很多人都会担心亲人的离世和离开，这是正常的心理，但是亲人早晚是要离开的，我们自己也早晚会离开这个世界。

因此，不管我们碰到什么让自己害怕的事情，都要先问问自己："万一这件事真的发生了，我会怎么办？"同时，我们还可以继续问下去："如果这件事发生了，比如亲人离世了，那以后我的生活会发生什么样的变化？"

好好想一想，不仅要想一想，还要把它一条一条写下来，关于你会失去什么，你将会处在一个什么样的生活状态，那个状态自己是不是能够承担等。

对任何一件事情，都要做最坏的打算，就像"万一他们离开了"，你的生活会怎么样。在这个假设中，我们可以反思他们活着的时候，你做什么才不会感到遗憾和内疚，如果我们能够把这些该做的事情先做了，大概在最坏的情况下也不会后悔和遗憾。

很多我们担心害怕的事，其实真的不会发生

记得有一次听一位中年男士说，自己的爱人要离开了，心里非常焦虑、内疚和难过，当想到自己的父母要离开时，他也特别特别难过。我问他："父母的离开是肯定的，但如果你的父母在两三年之内离开的话，你觉得你怎么做才能使自己不仅现在感到心安，他们离开后也不会愧疚？"

他说，他现在能做到的就是大概一个星期或者一个月回家一次去看父母，不对他们发火，多带他们去他们想去的地方玩一玩。但他平时工作特别忙，不能经常回去看望父母，因此他觉得自己不够孝顺。

于是我又问他："如果从你父母的角度来看你这么多年来对他们

的用心和照顾，估计他们会怎么说？"

他说，其实他的爸爸妈妈什么要求都没有，也一直认为他很孝顺，唯一对他的要求就是要他把自己的身体照顾好，与爱人过得幸福，就是对父母最大的孝顺了。

当他说到这儿时，慢慢平静下来，不再那么担忧了，思考着倘若父母离开，他准备怎么继续生活，然后就更加平静了。

生活中的大多数恐惧都是因为我们自己事先没有把它看清楚。恐惧是一种不安全感，而不安全的最大特点是"不知道"。也就是说，恐惧来源于我们的不知道和不确定。

知道并不意味着这件事不会发生，而是给我们心理上的确定，让我们有安全感。确定的事并不一定都是好事，也可能是坏事，但是确定之后，我们心里就能有一个锚，让我们的心定下来，让我们的焦虑和担心减少。比如说，你爸爸妈妈在多少年之后肯定会离去，这不是件好事，但如果你确定这件事是你焦虑和担心的，那么你焦虑和害怕的程度就会降下来。

科学家在美国做过这样一个实验，就是让一些人把自己害怕的事情都写在一个小纸条上，并将这些纸条放在一个瓶子里面，过一段时间之后这些人再拿出来，看到底他们害怕的多少事情变成了现实。后来大家拿出来看时发现，几乎没有什么事情变成现实。这个实验其实也证明，很多我们担心害怕的事情真的是不会发生的，我们经常在自己吓自己。

当你以后再有害怕的时候，可以试着做以下几件事。

（1）要明确你所担心和害怕的是什么；

（2）把你害怕和担心的事情及它们产生的最坏、最好和可能的结果都写下来；

（3）计算每种担心出现的可能性有多大；

（4）为了避免出现最坏结果，你该怎么做，而这个怎么做的计划中要有具体的场景、时间和操作方法；

（5）去行动。

这就是"面对恐惧五步法"。

你不需要依靠任何人

2008 年 5 月 12 日汶川特大地震发生后，我作为中国青少年发展基金会"心灵守望者"项目的总督导，进驻灾区。当时已是 10 月了，距离地震发生半年有余，大部分救灾人员已撤离。由于前期心理救援人员不够专业，当地人对心理援助能带来什么持非常质疑甚至反感的态度，那时在灾区有一句话叫"防贼、防余震、防心理咨询师"，可见工作环境之艰难。

我们原本打算从服务对象较集中的学校入手，但由于心理救援的口碑，进学校非常困难，很多学校更愿意接受物质方面的资助。当时，我已经带着一家三口和救援团队在灾区安营扎寨，可是去哪里救援，谁愿意接受我们的救援，却成了一个未知数。

我想在当地建立关系和口碑之后就会容易一些，所以邀请了当地商界、政界有影响力的人来体验我们的课程。因为地震后，许多人失眠，心理紧张。

当时我邀请了国际著名压力释放专家 David Berceli（大卫·波塞利）到四川和我一起给他们疏导。在体验课，当地颇具名望的一位企业家在体验压力释放操的时候，做着做着出现了胸闷的症状。这种现象在做压力释放练习时非常常见，David 当场给他做了一个处理——按摩胸部，这种处理也是常规处理。当压了几次以后，他忽然双目圆睁，紧紧瞪着天花板一动不动，持续了很长时间，感觉他就像窒息了一样，把在一旁陪伴的家人吓了一跳。一会儿他就恢复了，并没有其他异常，之后我们就回家休息了。

第二天我们在从另一个救援地点回来的路上接到一个电话，说昨天那个体验压力释放操的人今天去医院急诊室了。我一听说他去了急诊室，心中一惊，不知到底出了什么事，一般情况紧急又严重的人才会去看急诊。我一方面在同事面前保持着镇静，不动声色，另一方面脑子在飞速地转着，到底他出了什么事，情况严重到什么程度？我们刚到灾区不久，本来工作开展就非常困难，如履薄冰，万一出了事故，整个项目很可能因此而声名狼藉。作为项目总督导的我，压力之重可想而知。

我在回来的车上告诉 David，到酒店后，我有事需要和他单独交流。等到同事们都下了车，我跟随 David 到了他的房间告诉了他这件事。我的内心渴望着他给一个答案，使我能得到支持，减少压力，他是我当时的救命稻草，因为他在枪林弹雨中参加过很多国家的各种危机干预和救援，非常有经验，我特别期待他能给我一颗灵丹妙药，告诉我应该怎么做。

但当他听完我的描述之后，竟然说："以这种状态结束这次在中国的旅行，太糟糕了！"瞬间，我整个人都傻了。

我原本以为全能的David能帮我想出办法，结果不仅没有方法，也没有表达对我的处境的同情和安慰，想的竟是他旅行的结果令人遗憾。我当时心就凉了大半截，感到非常无助，真是谁都靠不上，所有的担子一下落在我一人身上，异常沉重。我不停地问自己："到底该怎么办？"

冷静过后，我和David做了一个决定：去医院看看那个人的病情到底如何，到底发生了什么。在去医院的路上我在想，既然谁都靠不上，我得靠自己，为了鼓励自己，我用英文说了一句：我相信风雨过后一定是彩虹。这件事之后，一定会有好事发生。David听到后好像也受了很大的鼓舞，眼睛都亮了，说："真的吗？"在去的路上，我又接到电话，说那位企业家已经从急诊室转到骨科病房住院了，好像是骨折了。我想他至少不在生死垂危的状态了，在快到医院的时候又接到一个电话，说这位企业家没有特别严重的症状，已经回家了，于是我们决定去他家里看看。到了之后，看到他安然无恙，了解到他体内装有心脏起搏器，也有过心绞痛的病史，对胸闷非常敏感，只是家人回来后，给他描述当晚做压力释放操时，他的样子十分害怕，所以决定到医院去检查，发现没什么问题，只是消息在转达过程中有偏差。

David告诉他，压力释放技术的特点就是能使我们释放身体曾经承载的压力，纾解长久积压在身上的压力和情绪。他说那天体验后回去一觉睡到天亮，他已经很多很多年没有睡过这样的好觉了。

很多逆境其实暗藏美意

那天晚上，大家交谈甚欢，他切实体验到了我们的方法的有效，强烈要求再做一次压力释放操，之后又请了我们整个团队，在当时最好的一家酒店——震后为数不多的还在营业的一个酒店，盛宴款待。同时，由于他是当地比较有影响力的人，这件事使得我们在当地开始救援工作就有了良好的声誉，并且逐渐传播开来。

人生中很多的事情，尤其是你觉得非常不好的事情，其实回过头来，你都能发现它的美意。在我的人生中，这样的经历不胜枚举。所有看似糟糕的事件，多年后回首，会发现它们对你的人生有莫大的帮助，都是你的人生进入另外一个阶段的开始或转机。所以，现在我再碰到什么不好的事，就会想它一定会给我带来收获，这样在面对时就会比较淡定。

生活当中，这种态度也是一个人能够拥有幸福的重要体现。我们很多人碰到不如意的事后，就把很多的时间和精力用在感慨自己多么倒霉、多么可怜、世界多么不公平、人心多么叵测上，这样做对事情没有任何帮助。

一个人过得好不好，主要在于，当面临问题和困境时，如何解读这件事，把时间、精力和想法放在什么地方。

所以，面对人生的噩运，不要陷入负面情绪之中；思考我现在说什么、做什么，对这件事情、对我和别人是有帮助的；这件事的价值和意义在哪里，我从这件事当中可以学到什么。

在任何情况下，不管发生什么，把时间和精力用在创建关系和成长上，投入地去做，去行动，而不是反反复复地后悔和抱怨。我们的很多痛苦都是来源于想象，当你忙起来就没时间痛苦了。

关于David，事发当时，我首先是非常失望，然后是非常生气，很愤怒。我认为直面交流很重要，核对也很重要，不是自己在心里难受，揣摩对方，然后心生芥蒂。几天后，我找到合适的机会，就告诉他说："其实那天事情发生的时候，你的态度让我非常失望，也令我非常生气，你知道为什么吗？"

他很镇定地回答道："我知道。因为你在那个时候想找一棵大树靠，结果没靠上，所以你生气了。"

我说："你知道，为什么还那样做？"

他说："海蓝，你自己就是一棵大树，你有足够的力量和智慧解决问题，你不需要依靠任何人。"

这句话，一语惊醒梦中人。我想他是对的，因为我们经常把所有希望寄托在别人身上，特别是当自己落魄的时候，或者特别紧张、害怕的时候。其实在任何时候都应该先把关注点放在自己身上，自我关怀，而不是依赖他人。

有一句话说，上天不会给你一份你无法承担的苦难，所有的苦难都是你能够承担的。而我们的能力都是在苦难当中训练出来的。这件事对我来说可以说是双重收获，内在收获了力量和智慧，外在收获了信任和传播。让我进一步懂得：一切都是最好的安排；还有，非常非常重要的是——我真的在任何时候都可以靠自己。

也就是在汶川救援的时候，我开始真真正正、清楚而强烈地意识到——我是一棵大树。

从此以后，我再也没有靠谁的想法，因为我知道，我就是一棵大树。

接纳自己的不完美，那是自己完整的一部分

亲爱的，当你碰到难过的事时都是怎么反应的？

哈佛大学临床心理专家 Christopher K. Germer（克里斯托弗·肯·杰默），在他的《不与自己对抗，你就会更强大》一书中提到，当遇到困境时，一般人会有三种反应。

（1）自我评判，觉得自己怎么那么笨，那么傻，那么无知……

（2）逃避、远离，就我这么倒霉，谁都不想见；

（3）陷入其中，越想越难过，越想越伤心，久久不能自拔，我把这种做法叫作"给自己挖坑"，很多人"挖坑"速度快，很快就觉得自己一无是处、无可救药，然后无助无望，甚至绝望。

生活中，我们对自己的评判、对他人的评判，常常是困扰我们自己，影响与他人相处的原因。接纳自己的完整，做错事、说错话，也是自己完整的一部分，我们需要的是在感到难过的时候，接受完整的自己，关怀自己，而非责难自己。

不要用他人的脸色评判自己

人往往根据别人的脸色和反应来判断自己的选择正确与否，是好是坏。看人脸色做事，很多时候是称了他人的心，违了自己的愿，时间长了，就变成怨，怨自己，怨他人。其实要做出正确的选择只需要关注两个地方：

（1）自己内心深处；

（2）自己身体的感受。

如果心是踏实的，身体是放松的，就是好选择。

看人脸色本身不是错，也是一种了解他人的能力，关键的是不要用他人的脸色评判自己，更不要作为选择自己的人生的依据和条件。他人的脸色只是外在信息的一部分，仅供参考。

我们经常想的最傻的三件事

我们经常想的最傻的三件事：

（1）以为自己是天底下经历最悲催的人；

（2）以为心目中的偶像样样顺心，处处如意；

（3）以为别人的生活都比自己的容易。

离得远，你看到的都是自己想象中的故事。走近了才知道，有的高富帅好看不中用；所有的功名后面都有不为人知的艰难和困苦。其实，别人是好是坏，和你真没什么关系，做好自己的事情吧！

不管你经历了多么悲惨的事，可以确定的是一定有成千上万人比你更悲惨，无论你觉得自己多么成就非凡，也一定有成千上万人比你更出色，我们都是芸芸众生中的一分子，有着属于自己的命运和生活，怀一颗静观的心去觉察，不对抗、不逃避，细细品味属于自己的日子足矣。不比较和不评判就会少一些烦恼。

其实，每天的生活已经很不易了，不可控的环境，各种各样的人的种种要求、评判、指责，你已经很辛苦了，所以不要和别人一起对抗自己。在这个世界上，如果只有一个人爱你，千万别指望任何人，这个人一定是自己。当你真的爱上自己，爱你的人也会出现，因为人都喜欢和快乐的人在一起。

每天带着静观的心，在每一个当下觉察自己是否在评判，能否带着不评判或接受的态度去看己、看人、看事。

你有多痛苦，就有多向往

没有人可以帮别人做决定，但是，我们可以一起来探索一下自己。

请为自己绘制一张 24 小时表格，按照自己日常的一天，把每一个时间格子都填满。

填完以后数一下，一天 24 小时，有几个格子是真正属于你的？

你用了多少时间工作？

用了多少时间吃饭、睡觉？

用了多少时间在路上？

用了多少时间陪伴、照顾家人？

用了多少时间在网络、手机和微信上？

最重要的是，你有多少时间是用来关怀自己、滋养自己的？

你开心吗？快乐吗？

你为自己的健康和快乐又做过什么？

是的，人只有感到痛苦时，才会想到改变。

别人给的，永远填不满你的期望

一个姑娘因为给男友发信息，3个小时没得到回复，便很难过，非常愤怒。我问她，男友没有回复你，对你来说意味着什么？她愣了一下，很明显，她从来没有想过这个问题。然后回答道："他不关心我，不在乎我。"我问："除了不关心、不在乎外，有没有其他可能？"她说："没想过有其他可能。""那现在想想呢？"她说："可能有其他事情，忙得顾不上。"我问："如果想到因为有其他事情没顾上，你难过和生气的程度会有什么不同吗？"她说："那就好多了。""那么，3小时没有回复信息，是不是不关心你？"她不好意思地笑了。

在生命中，如果你仔细回顾，不难发现：你的很多不满、难过、悲伤、恐惧、害怕都和以下因素相关。

（1）没有安全感；

（2）别人不在乎你；

（3）没有感到被尊重；

（4）没有感到被理解；

（5）没有感到被认可；

（6）没有感到被欣赏；

（7）没有感到被肯定；

（8）没有感到被爱。

可是有谁能够满足所有这一切的需求和愿望？加上我们本能的对人、对事的解读，会把根本不相关的信息解读为不在乎、不关心、不尊重……

答案是：别人给的，永远不可能真正满足你的需求。

那我们的内心何以得到宁静？我们何以与人和谐相处？

亲爱的，这个世界可能有诸多不公平，但有一件事绝对公平，那就是每个人每天都有 24 小时！

你把时间、精力、金钱投入到什么地方，就会在什么地方开花、结果。

不要再不停地向外索求认可、关注、爱，别人给的，永远填不满你的期望。试着学习关怀自己、探索自己，让自己的生活丰富起来。

这个姑娘开始学习瑜伽，读书，上课，不是整天惦记着男友的回复。她忙得都顾不上回男友的信息。在这个过程中，她理解了男友为什么有时不能及时回复她的信息，还有，男友开始着急了。

这就是：我若盛开，清风自来。

不再那么努力去"给"，也不再拼命想"要"

我们常常像智者一样劝慰别人，像傻子一样折磨自己。

其实，我们真正需要的是静观，自我关怀，学着像对待最好的朋友一样对待自己！

几乎每一个人，不管多么努力，总会有失败、犯错的时候，总会有不满意的时候。这时，我们的本能反应是自责、羞愧、内疚，远离大家，或者指责别人、抱怨环境。《不与自己对抗，你就会更强大》一书中谈道：人生中大多数的痛苦不是别人给你造成的，而是自己跟自己过不去。

实际上，每个人都会遭到两支箭的攻击：第一支箭是外界射向你的，它就是我们经常遇到的困难和挫折；第二支箭是自己射向自己的，它就是因困难和挫折而产生的负面情绪。羞愧感是所有负面情绪中最难以消除的，是"硬情绪"。而在这个"硬情绪"之下还有"软情绪"，比如悲伤、自责、愧疚、不安等等。

有一次在做"回想过去6个月中，自己最欣赏自己做的事情"的课堂练习时，曾担任"世界500强"企业之一的高管哲敏眼泪奔涌而出。因为过去6个月中，她一点儿也不欣赏自己，一向坚韧的她觉得自己没有一件事做得好。妈妈处于胃癌晚期，正在经受术后化疗的痛苦，而她无能为力；孩子刚刚出生，母乳不足，而且她无法全身心地陪伴，因为每天都要去医院；工作正值转折期，刚刚升职，本想好好表现，结果每天只能去办公室半天……

哲敏觉得自己哪里都没做好，内心充满了自责、内疚和羞愧，还有悲伤、恐惧和无助。这些负面情绪的搅扰让她敏感又易怒，和身边的人摩擦不断，而她的爱人自然首当其冲，深受其害。终于有一天，两人大吵之后，他问哲敏："你到底哪里不满意？"她含着泪说："因为我觉得孤单，好像只有我一个人，你们都从我这里要东西，但没有人真正关心我，我真的好无助。"

如果你和哲敏一样时常对自己感到不满，经常伤人伤己，感到疲惫孤独，不知道如何爱自己、爱别人，追求幸福和卓越总是得不到……那么，静观自我关怀，也许可以改变这一切。

太多的人会关心别人，但从未关心过自己

哈佛大学研究显示，78%的人对待别人比对待自己更加耐心柔和、体贴；20%的人对待别人跟对待自己一样；只有2%的人，相

对于别人，更加善待自己。

与此同时，研究还发现，当我们更加关心自己的时候，会更加理解、体谅和关怀我们周围的人。静观与自我关怀，能够给困境中的自己支持和滋养，让自己成为爱的源头。

亲爱的，不管你因为什么难受，当你和哲敏一样对自己不满的时候，这样做也许会好受一些。

（1）把右手放在胸口，先让头脑里评判、指责、攻击自己的声音停下来；

（2）深呼吸 3～10 次，让自己慢慢平静下来；

（3）像对待最好的朋友一样对自己温情地说"我对自己不满意，不满意也是生活的一部分，我接受自己对自己的不满意，相信在彼时彼刻已经做了那个时刻以为的最好选择"；

（4）对自己说"未来我会改变我能够改变的，变得更加智慧，我会努力接近自己想要的样子"；

（5）对自己说"愿我平安，愿我健康，愿我幸福，愿我一切安好"，最后，记得给自己一个温情的拥抱。

静观、自我关怀对我们最大的意义，就是心里进驻了一位"随叫随到、按需定制，心心相印"的朋友，Ta 非常了解你，理解你，总在你需要的时候恰到好处地给你滋养，像对待最好的朋友和最爱的孩子一样，带着爱和善意、理解和希望，平和淡定地在那里，看着你、陪着你经历所有的事情，随时随地，每时每刻，充满温暖、智慧和力量，让我们不再感到孤单，不再那么努力去"给"，也不再那么拼命想"要"，不再对自己那么狠，不再那么深深地伤害自己。

当我们能够不再任由头脑批判、控制、挑剔，试着学习接纳每个时刻的不如意和不完美，接纳自己做错事、说错话，在感到难过的时候关怀自己，就能渐渐恢复内心的平静，实现与人交往的和谐。接纳和关怀，不是自我挫败，也不是纵容放弃，我们可以在放纵和自律之间找到成长的平衡。

美国哈佛大学的 Christopher K. Germer 博士认为，片刻的自我关怀能够改变你的一整天，生命中一连串这样的自我关怀就可以改变你的一生。触摸自己的疼痛，带着温柔去关怀内心，我们就会抵达真实的自己。当我们能够静观并自我关怀时，会发现焦虑、恐惧和不安少了，多了从容。

还记得 Christopher K. Germer 博士的那句话吗？——人生最大的痛苦不是别人带给你的，而是自己跟自己过不去！我们还要经历多少痛苦和曲折，才能真的学会静观、自我关怀呢？从今天开始行动吧！

你来与不来，我都依然绽放

人生很短，不管今天与谁相伴，实际上在一起的日子也不过是寥寥几年。你和我真的都没有时间用怨恨、指责、抱怨和遗憾填充任何一天。生活中有太多值得去探索、感受、体验的人情冷暖、风花雪月、春夏秋冬。除了内心宁静、与人和谐相处需要用心耕耘，其他都是浮云。

太多人被别人的眼光、看法绑架。殊不知，在你关注别人的眼光时，别人也做着同样的事情。生命变成了无谓的茫然和错过。你看路边的花朵，不管你看与不看，它们都尽情绽放，因为尽情绽放本身就包含着生命最根本的意义。如果你真在乎别人的眼光，也先绽放了再说。

自然是对灵魂最好的滋养……它们不争不抢，只是静静地绽放着自己，你来与不来，看与不看，它们依然用全部的能量绽放着所有的美丽，毫无保留。人生是否也该如此？你在不在意，关不关注，我都尽情绽放，因为绽放中包含着我们生命的最根本的意义。

当你绽放时，就没时间痛苦了

其实，这一生只需要一个人经常告诉你：亲爱的，我爱你！你的孤独、恐惧、害怕、愤怒和悲伤就会大大减少。如果你身边没有这样一个人，就让自己成为这样的人；如果你身边没有人经常对 Ta 说这句话，那就让自己变成经常对 Ta 说这句话的人。实际上，真正掌握家庭甜蜜幸福关系的是女人，亲爱的，幸福其实一直都在你手里！

有人会说："我都可怜到只有自己爱自己的份儿了。"我会对你说："亲爱的，你真的是太可怜了，可怜到连自己都不爱自己了。"

这一生，如果过得不如意，不是因为别的原因，而是你从未对自己满意。尺有所短，寸有所长，没有人完美无缺。世上没有完美的人和事，如果你觉得别人完美，那是因为你离得太远。对自己不满，是因为离得太近。你没有自己想象的那么糟糕，别人也没你想象的那么完美。关爱自己吧！

生命中很多的事情，尤其是你觉得非常不好的事情，其实回过头来都能发现它的美意。在我的人生中，这样的经历不胜枚举。所有看似糟糕的事件，多年后回首，我发现原来是命运的恩赐，都是人生进入另外一个阶段的开始或转机。

人们问我，为什么总是精力充沛，经常欢声笑语。我的回答是：我很少花时间后悔过去，担忧未来，也很少怀疑、揣测别人，因为这些情绪和状态非常消耗人的精力和体力，会使人筋疲力尽。我遇到事情，主要想现在怎么办，下一步怎么办。对于与他人的矛盾，我会直抒己见，当面核对，不让怀疑和猜测成为彼此之间的障碍。有人说，不是每个人都会对你说真话，也不是每个人都会用你这么直接的方式与人相处。我知道并且十分认同，但那是别人的事情，而我以不变应万变。时间久了，每个和你相处的人自然会找到与你相处的方式。因为我一直坚信：不管什么人都喜欢与直率、真实、真诚的人相处。

这种方式简单省时，会使你把有限的时间用来成长和绽放，当你绽放了，很多问题自然就解决了。

　　海蓝是幸福力导师，也是幸福力的践行者。她让更多的人理解：幸福不是没有烦恼和痛苦，而是学会与它们相处；她也让更多的人明白了，幸福从来不是来自远方，而是来源于觉醒的自我。

——杨澜（知名媒体人、阳光媒体集团主席）

　　围绕幸福主题，这本书涉及诸多人生问题，包括事业选择和自我实现、情感生活和人际关系、苦难和逆境等，我读了很有共鸣。幸福是一种能力，这个能力要靠人生觉悟来开发。然而，如果心理咨询只是在给受众上哲学课，其效果便堪忧。心理咨询师的本事在于把宏大的哲学叙事细化为精彩的心理学剧本，在每一具体情境中察知心结的成因和解开的方法，这本书中举的许多案例便是例证。所以，世上不能只有哲学家，还必须有海蓝博士。

——周国平（当代著名哲学家、学者、作家）

作为一名所谓的"成功人士"，而且天性还相当乐观开朗的我，有时候也会掉入郁闷和想不开的低谷。这个时候，我最需要的不是马云、雷军（也许他们出现了会给我带来更大的痛苦，你懂的），而是海蓝博士。在这本书中，她用诚恳质朴的语言、生动鲜活的案例，告诉你什么是"幸福"；帮助你抚平心灵创伤，脱离心灵的苦海；分析了国人心理健康的误区；指导家庭如何培养幸福感等……我向大家推荐海蓝博士的心血之作，愿她的文字，能给你带来幸福的心灵财富。

——**徐小平**（真格基金创始人、新东方联合创始人）

读海蓝博士的书，就像走了一遍心路历程，我们生而不完美，但也正因如此，人生一路走来就有了恒久动力。

——**俞敏洪**（新东方教育集团有限公司董事长）

我们生来都是原创，长大后就不小心活成了盗版。认识海蓝博士之后，我遇见了一种海蓝色的幸福……那种宁静的海蓝色像一种抚慰，告诉每个愿意接近它的人：放下愤怒，放下躲避，放下对抗，接受自己，就是世界接受你的开始。

——**于丹**（著名文化学者、北京师范大学教授）

国内外心理学专家有很多，像海蓝博士这样，医学造诣达到顶峰再转行从事心理学的不多；从中国走出去，又从美国走回来的不多。专业造诣深厚的心理学专家也很多，像海蓝博士这样，用生命践行理念的不多，深入浅出、将高端前沿的知识变成具体可操作方法的不多。专家创业的也很多，愿意以非营利方式运营，以助人为使命的不多。海蓝博士集科学家、心理学家、创业家于一身，实属难得。她和她的团队，正在书写历史。正是如此，我欣然承诺为海蓝博士的团队进行 18 个月的义工辅导，为她的伟大事业尽一份绵薄之力。

——詹文明（彼得·德鲁克关门弟子，CEO、董事长、领导者私人教练）

海蓝博士的核心理念是她原创的，非常强大，充满了对人性的深刻理解，并巧妙地与现代社会的需求和挑战相结合。她知行合一，言行一致，从她的学生们充满感染力的快乐之中便可窥见一斑。我很高兴，她终于把她的愿景和想法凝聚在书里，让更多的人能够分享和获益。

——Christopher K. Germer 博士

（哈佛医学院心理学临床导师、"静观自我关怀"创始人之一）

古老的犹太圣贤希勒尔曾经说："我不为我，谁人为我？我只为我，我为何物？此时不为，更待何时？"（《父执伦理》，1:14）。这正是我敬爱的同事和朋友——海蓝博士的生命写照。

——Elna Yadin 博士

（原宾夕法尼亚大学焦虑治疗和研究中心 OCD 中心主任）

海蓝博士的幸福力理念以及成系统的课程，已经完美积淀于这部著作，深入浅出、春风化雨，娓娓道来的是一份走心的温馨，融化的力量，教会广大女性朋友们如何理顺心绪，面对现实，珍惜自己，腾飞梦想。

——张小媛（中国家庭教育学会副会长）

海蓝博士的这本书非常特别，它既告诉了你很多"少有人知道的幸福真相"，也教给了你改变自己、创建梦想的方法，也许，当你选择打开这本书，你对幸福的觉醒就已经开始了。

——李静（著名主持人、制片人，东方风行传媒集团创始人）

这本书震撼了我，像一个温暖的妈妈的叙述，但比起真的妈妈，她没有抱怨、忧惧、被害妄想和所有世俗的烦扰。我喜欢书里的这个声音，我的阅读完全是在经历着关怀。这是一本你读了以后，不愿意失去它的好书，我一直还没有读完它，因为我希望这样的关怀再久一些。

——**任长箴**（著名纪录片导演，《舌尖上的中国》第一季执行总导演）

喜欢海蓝的文字，也喜欢跟她聊天。她是一个大女人，人如其名，种种的纠结、苦闷和忧伤似乎都能被大海般的她包容和化解。她还像一束阳光，照进心里，让我们洞明世事和人心，唤起内心的觉醒。她又是个小女人，一饭一蔬，一花一草，也能让她感怀感恩。所以我想幸福的女子一定如她：有着大女人般的素养，又有着小女人般的情怀。

——**春妮**（北京卫视主持人）

阅读海蓝博士的文字，是一个有意义的旅程，用我最喜欢的那句王尔德的句子来形容——"爱自己是一场终身恋情的开始。"

——**秋微**（《再见，少年》等畅销书作者、主持人）

作者分享给读者的案例，就是发生在我们周围的真实故事，不但让人感同身受，更让人清晰明白：提高自身感知幸福的能力是多么的重要！

——**柯蓝**（著名演员）

如果你是一个有幸福追求的女人，请不要错过这本书，因为你在追求幸福这条道路上遇到的困惑，都可能在这里找到答案。

——**苏芩**（知名作家）

海蓝博士在这本书里告诉大家：选择做自己喜欢的事，就能把控未知的精彩。

——**李响**（江苏卫视主持人）

幸福是建立在不完美基础上的，而所有的幸福都是有缘由和方法的，海蓝博士的书里，有我们需要放下过去，过好当下，不妄想未来的幸福之道。

——**龚琳娜**（中国新艺术音乐创始人、歌唱家）

海蓝博士以海洋蓝天般的情怀，包容、接纳、化解人们心中的纠结、烦恼与怨恨；以阳光般的语言，温暖、照亮人们心灵深处的阴寒与迷雾；帮助人们找到生命的尊严，享受幸福的人生。

——**中里巴人**（北京中医协会理事，《求医不如求己》作者）

读了海蓝博士的书，更加让我明白，只有拥有积极乐观的心态和思考方式的人，才能拥有幸福的人生。

——**卢勤**（知心姐姐、中国少年儿童新闻出版总社首席教育专家）

如何获得幸福？学会接纳不完美的自己和不可控的环境，试着去拥抱未知、倾听内心、不负当下，以成就最好的自己，并构建好与他人、与世界、与自然的和谐关系。感谢海蓝博士的新书，让我们知道幸福不仅仅是一种状态、一个目标，还是一种能力，而这种能力，是可以习得的。

——**王人平**（"中国榜样家长"、"育儿育己工作室"创始人）

幸福可以解读为不幸中的福，也可解读为幸运中的福，一字之差却有两种截然不同的对幸福的体验与理解。苦即乐，乐在其中。读海蓝的书，你可得到明悟。

——**李子勋**（著名心理学专家，央视《心理访谈》嘉宾主持）

人们总是在外部世界追寻幸福，其实获得幸福从改变人生态度开始。读海蓝博士的这本书，就是走上幸福道路的第一步。

——**杨凤池**（首都医科大学心理学教授、央视《心理访谈》嘉宾主持）

听海蓝对人的最高评价是"知行合一"。感觉这个评价用在她身上再合适不过了。本书就是她"知行合一"的结晶。

——**夏浩博士**［前沃达丰（中国）有限公司董事长兼总经理］

海蓝博士用她几十年的生活阅历和工作经历告诉我们，什么是促成幸福的重要因素，什么不是但人们却热衷于去追逐，乃至最终达不到幸福目的地的因素，细细读来，给人一种恍然大悟的感觉，原来答案都在这里！

——**刘全伟**（华为大学人力资源部部长）

海蓝博士不但是心理学领域刻苦的研究者，同时还是大胆的实践者。她在向大众奉献自己的爱心和知识、服务社会中找到了自己的幸福，实现了自己的价值。

——**孙时进**（复旦大学心理学系主任）

拥有幸福是一种能力，科学研究发现，人脑中存在"希望电路"，相信海蓝能为每一个追求幸福的人充满"希望电路"的正能量。

——**彬彬**（《名人堂》制作人、主持人）

幸福是生活的终极目的，有幸听过海蓝博士的课程，对海蓝博士让生命影响生命的理念感触很深，相信海蓝博士的新书能够帮助读者变得更加幸福。

——**田范江**（百合网 CEO、创始人）

幸福应该不远，感受到也应该不难。只是当情绪和世事像尘霾一样遮天蔽日之后，一切都会变得模糊……还好，我们有海蓝，一个辛勤的人：在北风到来之前，她已来到我们身边，轻轻牵起我们的手，拭去窗棂上蓄积的尘埃。

——田薇（中央电视台主持人）

这本书汇集了海蓝博士多年心理治疗实践厚积薄发的结晶，是跨越地域和文化差异的智慧，是每一个人都可以从中获得启发和教益的良师益友。

——周晓光（新光控股集团董事长）

海蓝博士的新书以其强烈的个性化色彩和独特的情感语言魅力，引导你从心身一体的感知出发，从知行合一的自我修为启程，带领你去寻求西方智者柏拉图所示的"认知你自己"的解救之道。

——刘晓力（中国人民大学哲学院教授、博士生导师）

我真切希望能有更多更多的人读到这本书，与其说海蓝女士所论述的是教育学或心理学，不如说是对人与生命最完美的诠释。

——张兰（俏江南集团董事长）

书中有一句话令我印象深刻——"生命的每一次痛后面，都藏着一个大智慧"。读完这本书令我多年来对人生的思考有了清晰的认知，这令我内心温暖而充实，也领悟到人生真正所追求的是一种心性上的成长，以及对自己的承诺。

——**武红**（新盟国际总裁、博鳌亚洲论坛组织者、未来论坛创始理事）

如何转换心境，如何管理情绪，海蓝博士在书中做了丝丝入扣的解释，值得细读。幸福是一种能力，我相信。

——**严旭**

（原青岛啤酒全球营销总裁、正和磁系资产管理有限公司联合创始人）

海蓝博士是幸福力的探索者，更是用生命在幸福的道路上行走的人。她就像夜航里的一盏灯，会照亮很多人的心，这本书正是这盏灯的载体，会帮助更多的人获得幸福，我始终相信，幸福是有方法的。

——**陈婷**（中国青少年发展基金会"5·12心灵守望计划"发起人之一、太美慧谷创始人）

海蓝老师的这本新书所直面的是幸福的反面，那就是如何与痛苦相处。她投身于此，并帮助了众多深陷痛苦之中的人。唯有了解了痛苦，懂得与痛苦相处，才是离幸福最近的人。从这个意义上说，这也是一本让人容易获得幸福的书。

——**朱建**（前《都市快报》总编辑）

这本书用经典案例挖掘人们内心最隐密的痛点，用具体可操作的方法唤醒人们与生俱来的正能量，提升整体意识，传播幸福力，读后有"开悟"之感。

——**韩小红**（慈铭体检集团总裁）

认识海蓝博士快十年了，我知道各方各面对她的寄望如此之大，以至于写书对她来说变得绝非是一件易事。看到这本新书，惊喜之余，心里沉甸甸的。它来自海蓝的生命体验，是作者对自己人生意义的践行，是现实社会中人们心理生活的真实写照。这份用心和真诚一定会激发人们对自己、对生活更多的发现！

——**魏世伟**（华夏心理共同创始人）

每个人都有自己不同的人生，也许看完此书后，你真正的人生可能才刚刚开始。

——**徐敏**（安存巴九灵公益基金会发起人）

海蓝博士是我见到的少数能把心理学理论与实践运用相结合，做得很棒的老师，她从医学到心理学的专业研究，她在汶川特大地震后做辅导的实践经历，从现场授课以及媒体教学过程中所积累的宝贵经验，以及她的品德都是我非常欣赏和钦佩的！

——**刘松琳**（前深圳市聚成企业管理顾问股份有限公司董事长）

读她的书，像在黑夜里行走的人，找到了一盏灯；像常久不见自己面目的人看到了一面镜子：让我们突然明白，应该怎样活着。不仅仅如此，她还用自己的行为教我们怎样才是幸福地活着，也教育我们如何去追求幸福。

——**李小虎**（以诺资本管理合伙人）

大道在心，济世为民，海蓝全心致力于推广心理健康教育，旨在营造幸福感，提高创伤抗挫折能力，引导生命质量取向，创建和谐社会氛围。

——**贾笠**（著名书画家）

海蓝博士认为，在中国当下，各个阶层出现的很多社会问题，其实最后都归结于幸福感的问题。因此她要探讨人们如何面对急剧变革的社会，人们如何去理解幸福，感受幸福，追求幸福。我相信这本书一定有这样的作用，就像她随和、热情和大方的性格影响我们一样。

——**梅龙**（央视少儿频道资深制片人）

海蓝博士的确是个有大能量的人，让所有靠近的人都能得到力量。她更是一个全然投入，要把自己的能量发挥到最大而给予别人的人。

——**刘翌宁**（央视影视节目制作人）

海蓝博士影响了我对幸福的认知，幸福就是做你自己。未知的或不可确定的，才是生命的价值，而在未知与不确定面前，我还可以淡定乐观地生活着，这就是我与海蓝博士相识后的最大收获。

——**布里亚特**（《活着就是幸福》作者）

海蓝的智慧在于，她从不劈头盖脸地告诉你答案是什么，而是帮助你让你自己去追寻和发现问题的答案。

——**段昉**（阳光未来艺术教育基金会秘书长）

海蓝博士用简洁的语言，带领我们寻找幸福的钥匙。你是谁，要怎么活，你想被记住的那个名字将会是什么？你相信什么，你执着什么，你就是什么。

——**卿永**（卓航国际教育集团董事长）

这本书是海蓝的真实故事。她的勤奋进取，她的思考感悟，她的风雨彩虹，都一如既往地激励我前行。

——**刘一玲**（商务印书馆编辑）

海蓝对她所爱的东西非常执着，20 年初衷不改。她现在终于在做她热爱和擅长的事情。相信她的爱心加上渊博的知识将造福于更多的人。

——**红衫**（美国肿瘤制药研究员）

像海蓝的书里所说"我们真实拥有的只有当下这一刻"。虽然一个时代的大势不能靠个人的力量扭转，但我们依然可以选择多做一点好事，培养一个小爱好，多看几本关于生命、关于心灵的书，然后在心中藏一点赤诚的小理想。

——**曾晓非**（辽宁省商务厅）

海蓝作为一名接受过专业医学教育的心理学家、一名心理医生，多年来，一直在探索如何从医学的角度在心理健康方面帮助人们、帮助人们抚平创伤、帮助大家一起寻找幸福，本书对此进行了详细的记录。

——**袁正宏**（复旦大学医学分子病毒学教育部 / 卫计委重点实验室主任）

海蓝博士用她的经历和感悟告诉我们：人生，是一次可以选择的旅程，我们无法把控环境和他人，但我们始终都可以把控自己。主动寻找真正让自己快乐而有意义的目标，才是获得幸福的关键。

——**陈钟林**（南开大学社会学教授）

本书是作者跌宕起伏的人生的一个缩影，也是一份可以传承的心血结晶。字里行间传递出的是作者用生命的脚步书写的印记，真实沉稳、铿锵有力。

——**张联**（"5·12心灵守望计划"执行秘书长）

我们有时迷失于忙碌的生活，而失去了平静，我们有时纠结于重重的压力，而忘记了初心。本书为现代人指出了从内心出发，寻找幸福之道的一条途径。全书充满了海蓝博士标志性的逻辑与事例，如静夜耳语，直入人心。

——**季加孚**（北京大学肿瘤医院院长、著名肿瘤科专家）

我建议任何人、甚至是每个人都来读一读海蓝的书，因为她的观点和洞见，充满爱和激励，会让你感到焕然一新、充满灵感，并准备好开始成为更好的自己的奇妙旅程！

——**杨梦迪 Melissa Lee Diehl**（星光大道2015前6强，中美混血明星）

每一个在我生命中出现的人，
都是命运的悉心安排

在慕田峪长城脚下，完成了最后一稿的修改。我望着远处巍峨、气势雄伟的山脉，山上满布着积雪。北国的冬天，有一种苍劲的唯美，在严寒中，我感到孕育生命的美丽和感动。

很多年前，各方朋友就催促我写一本书，一直迟迟没有动笔，因为一直觉得写书是一件大事，得确定自己写的东西值得别人花费生命来读，因为时间就是生命，要写也得写自己感到满意的东西。

直到修改完最后的章节，我也没有感到令自己非常满意。但因为这是一本写"不完美，才美"的书，所以就突破和挑战自己，接纳不完美。

这本书是我自己对生活和工作的部分体验与感悟的总结。生活是一个七彩球，每个人因为自己不同的体验和感受会看到不同的色彩。书中所分享的只是我看到的色彩和角度，没有指导他人生活方式的意图。

如果读完本书，你感到内心宁静，并对你与人的和谐相处有所帮助，便是我额外的收获。如果书中的故事和你的经历类似，那一定是巧合，因为不管你觉得自己的经历多么独一无二，实际上，世界上成千上万的人和你的经历非常相似，了解这一点本身就会减轻内心的痛苦。

在这个拥有 70 多亿人口的世界上，与我相遇的人非常有限，我深信每一个在我生命中出现的人都是命运的悉心安排，这其中有我的父母、爱人、女儿、老师、同学、朋友、同事、学生、静修生们，每个人的出现都让我在或喜、或忧、或烦、或悲、或乐中体验到了色彩缤纷的生活，也使我有机会用书的方式与更多人分享。

感谢著名主持人杨澜的邀约，我们在一起向大众传播幸福力的日子，使我对大众在追求幸福中的困惑有了更深、更丰富的了解。

感谢前沃达丰（中国）董事长夏浩博士在一个秋天的下午，正色地告诉我，写书应该是我当下该做的头等重要的事，让我开始真正把心思放在写作上；感谢著名作家秋微告诉我，"书要自己写"，并说我写的东西能够触动人。感谢詹文明老师，帮助我带领幸福家团队，使我能够安心写作。感谢我的静修生曹译文、焦雪晶、黄小玉、祁艳菲、刘康、罗晓宇等许多参与整理素材出版工作的所有静修生的全力配合，非常感谢与北京紫图图书的相遇，在他们的积极推动和配合下，我知道如何把自己奔逸的思潮和感悟放在合适的地方。特别感谢为我写书序、书评的各界朋友和老师，你们的点评使我开启了用不同于课堂的方式与更多人交流和分享自己生命的感悟。也非常抱歉，因为篇幅所限，不能在这本书中呈现你们书评中的全部内容，在此，深表愧疚。也非常感谢徐小平、周国平、于丹老师在百忙之中，认真读拙作，并情真意切地为本书作序，你们严谨认真的态度使我深受感动和影响。也非常感谢 Christopher K. Germer（克里斯托弗·肯·杰默）博士和 Elna Yadin（艾尔娜·雅丁）博士，他们不仅教授了我有效的助人方法，他们知行合一的人格素养，还让我知道真正的教育是身教。

此时此刻，我的心中充满感恩，任何一件事的成就都是成千上万人辛勤付出的结果。这本书就是无数人辛勤付出的结果。

愿天下所有人都拥有内心的宁静、与人的和谐。

peace & love

2015 年 12 月 9 日于慕田峪长城脚下

图书在版编目（CIP）数据

不完美，才美 / 海蓝博士著. －－ 北京 ：北京联合
出版公司，2016.1（2017.11重印）

ISBN 978-7-5502-6738-1

Ⅰ．①不… Ⅱ．①海… Ⅲ．①人生哲学－通俗读物

Ⅳ．①B821-49

中国版本图书馆CIP数据核字(2015)第281849号

不完美，才美

项目策划　戴克莎　紫图图书 ZITO®

监　　制　黄利　万夏

著　　者　海蓝博士

责任编辑　孙志文

特约编辑　马　松　李媛媛　徐玲玲

　　　　　黄小玉　曹译文　焦雪晶

装帧设计　紫图图书 ZITO®

北京联合出版公司出版

（北京市西城区德外大街83号楼9层　　100088）

北京中科印刷有限公司印刷　新华书店经销

120千字　880毫米×1280毫米　1/32　9印张

2016年1月第1版　2017年11月第15次印刷

ISBN 978-7-5502-6738-1

定价：39.90元